P9-CIW-209

EX-LIBRIS
一个人张灯结彩
田耳著
马海方图
藏书票

新年太平鼓大赛 / 2015年 / 69cm × 69cm

精典名家小说文库

谢有顺 主编

一个人张灯结彩

田耳 著

作家出版社

图书在版编目（CIP）数据

一个人张灯结彩 / 田耳著 .-- 北京：作家出版社，2017.8（2021.3 重印）

（精典名家小说文库）

ISBN 978-7-5063-9662-2

Ⅰ.①一… Ⅱ.①田… Ⅲ.①中篇小说－中国－当代 Ⅳ.①I247.5

中国版本图书馆 CIP 数据核字（2017）第 211236 号

一个人张灯结彩

作　　者：田　耳

责任编辑：丁文梅

装帧设计：精典博维·肖　杰

责任印制：李卫东　李大庆

出版发行：作家出版社有限公司

社　　址：北京农展馆南里 10 号　　**邮　　编**：100125

电话传真：86-10-65067186（发行中心及邮购部）

86-10-65004079（总编室）

E-mail:zuojia@zuojia.net.cn

http://www.zuojiachubanshe.com

印　　刷：北京通州皇家印刷厂

成品尺寸：125 × 185

字　　数：51 千字

印　　张：4.125

版　　次：2017 年 9 月第 1 版

印　　次：2021 年 3 月第17次印刷

ISBN　978-7-5063-9662-2

定　　价：38.00 元

目录

一个人张灯结彩 ...1

树我于无何有之乡（代后记）...109

一个人张灯结彩

老黄每半月理一次头，每星期刮两次脸。那张脸很皱，像酸橘皮，自己刮起来相当麻烦。找理发师帮着刮，往靠椅上一躺，等着刀锋柔和地贴着脸上一道道沟壑游走，很是受用。合上眼，听胡楂自根部断裂的声音，能轻易记起从前在农村割稻的情景。睁开眼，仍看见哑巴小于俊俏的脸。哑巴见老黄睁开了眼，她眉头一皱，嘴里咿咿呀呀，仿佛询问是不是被弄疼了。老黄哂然一笑，用眼神鼓励哑巴继续割下去。这两年，他无数次地想，老天爷应是个有些下作的男人——这女人，这么巧的手，这么漂亮的脸，却偏偏叫她是个哑巴。

又有一个顾客跨进门了，拣张条椅坐着。哑巴嘴里冒出咝咝的声音，像是空气中攒动的电波。老黄做了个杀人的手势，那是说，利索点，别耽搁你生意。哑巴摇摇头，那是说，没关系。她朝后脚跨进店门的人努了努嘴，显露出亲密的样子。

老黄两年前从外地调进钢城右安区公安分局。他习惯性地要找妥一家理发店，以便继续享受刮胡须的乐趣。老黄到了知天命的年纪，除了工作，就喜欢有个巧手的人帮他刮胡须。他找了很多家，慢慢选定笔架山公园后坡上这个哑巴。这地方太偏，老黄头次来，老远看见简陋的木标牌上贴着“哑巴小于理发店”几个字，心生一片惶然。他想，在这地方开店，能有几个人来？没想到店主小于技艺不错，回头客多。小于招徕顾客的一道特色就是慢工细活，人再多也不敷衍，一心一意修理每一颗脑袋，刮净每一张脸，像一个雕匠在石章上雕字，每一刀都有章有法。后面来的客人，她不刻意挽留，等不及的人，去留自便。

小于在老黄脸上扑了些爽身粉，再用毛巾掸净发楂，捏着老黄的脸端详几眼，才算完工。刚才进来的那年轻男人想接下家，小于又努努嘴，示意他让另一个老头先来。

老黄踱着步走下山去，听见一阵风的蹿响，忍不住扭转脑袋。天已经黑了。天色和粉尘交织着黑下去，似不经意，却又十分遒劲。山上有些房子亮起了灯。因为挨近钢厂，这一带的空气里粉尘较重，使夜色加深。在轻微的黑色当中，山上的灯光呈现猩红的颜色。

办公室里面，零乱的摆设和年轻警员的脚臭味相得益彰。年轻警员都喜欢打篮球，拿办公室当换衣间。以前分局球队输多赢少，今年有个小崔刚分进来，个头不高司职后卫，懂得怎么把一支球队盘活，使全队胜率增多，年轻人打篮球就更有瘾头了。老黄一进到办公室，就会不断抽烟，一不小心一包烟就烧完了。他觉得烟瘾是屋子里的鞋臭味熏大的。

那一天，突然接警。分局好几辆车一齐出动，去钢都四中抓人。本来这应是年轻警员出警，但都去打球了，于是老黄也得出马。四中位于毗邻市区一个乡镇，由于警力不够，仍划归右安区管理。那是焦化厂所在地，污染很重，人的性子也烈，发案相对多。报案的是四中几个年轻老师，案情是一个初三的学生荷尔蒙分泌太多，老去摸女学生。老师最初对其进行批评教育，要其写检讨，记过，甚至留校察看。该学生性方面早熟，脑袋却如同狗一样只记屎不记事，胆子越摸越大。这天中午，竟爬进单身女教师宿舍，摸了一个在床上打瞌睡的女老师。女老师教音乐的，长相好，并且还没结婚。这一摸就动了众怒，男老师直接报了警。

人算是手到擒来。一路上，那小孩畏畏缩缩，看似一个好捏的软蛋蛋。带到局里以后，他态度忽然变得强硬，说自己什么也没干，是别人冤枉他。他嚷嚷说，证据呢，有什么证据？小孩显然是港产片泡大的，但还别说，港产片宣扬完了色情和暴力，又启发一些法律意识，像一个神经错乱的保姆，一勺砂糖一勺屎地喂养着这些孩子。小孩却不知道，警察最烦的就是用电影里趸来的破词进行搪塞。有个警察按捺不住，扰过去想给小孩一点颜色。老黄拽住他说，小坤，你还有力气动手呵，先去吃吃饭。

老黄这一拨人去食堂的时候，打球的那一帮年轻警员正好回来。来之前已经吃过饭的，他们去了钢厂和钢厂二队打球，打完以后对方请客，席间还推杯换盏喝了不少。当天，老黄在食堂把饭吃了一半，就听见开车进院的声音，是那帮打球的警员回来了。老黄的神经立时绷紧，又说不出个缘由。吃完了回到办公室，他才知道刚才担心的是什么。

但还是晚了些。那帮喝了一肚子酒的警察，回来后看见关着的这孩子身架子大，皮实，长得像个优质沙袋，于是手就痒了。那小孩不停地喊，他是被冤枉的。

那帮警察笑了，说看你这样就他妈不是个好东西，谁冤枉你了？这时，小孩脑子里蹭地冒出一个词，不想清白就甩出来，说，你们这是知法犯法。那帮警察依然是笑，说小孩你懂得蛮多嘛。小孩以为这话奏效了，像是黑暗中摸着了电门，让自己看见了光，于是逮着这词一顿乱嚷。

刘副局正好走进来，训斥说，怎么嘻嘻哈哈的，真不像话。那帮警察就不作声了。小孩误以为自己的话进一步发生了效用，别人安静的时候，他就嚷得愈发欢实。刘副局掀着牙齿说，老子搞了几十年工作，没见过这么嚣张的小毛孩，这股邪气不给他摁住了，以后肯定是安全隐患。说着，他给两个实习警察递去眼神。那两人心领神会，走上前去就抽小孩耳光。一个抽得轻点，但另一个想毕业后分进右安区分局，就卖力得多，正反手甩出去，一溜连环掌。小孩的脑袋本来就很大很圆，那实习警察胳膊都抡酸了，眼也发花，小孩脑袋越看就越像一只篮球，拍在上面，弹性十足。那实习警察打得过瘾，旁边掠战的一帮警察看着看着手就更痒了，开始挽袖子。小崔也觉得热血上涌，两眼潮红。

这时老黄跨进来了，正好看见那实习警察打累了，另几个警察准备替他。老黄扯起嗓门说，小崔小许王金贵，还有小舒，你们几个出来一下，我有事。几个正编的警察碍于老黄的资历，无奈地跟在后面，出了办公室向上爬楼梯。老黄也不作声，一直爬到顶层平台。后面几个人稀稀拉拉跟上来。老黄仍不说话，掏出烟一个人发一支，再逐个儿点上。几个年轻警察抽着烟，在风里晾上一阵，头脑冷静许多，不用说，也明白老黄是什么意思。

星期六，老黄一觉醒来，照照镜子见胡楂不算长，但无事可做，于是又往笔架山上爬去。到了小于的店子，才发现没开门。等了一阵，小于仍不见来。老黄去不远处南杂店买一包烟，问老板，理发那个哑巴小于几时才会开门。南杂店的老板嘿嘿一笑，说小哑巴蛮有个性，个体户上行政班，一周上五天，星期六星期天她按时休息，雷打不动。老黄眉头一皱，说这两天生意比平时还好啊，真是没脑筋。南杂店老板说，人家不在乎理发得来的几个小钱，她想挣大钱，去打那个了。老板说话时把两手摊开，向上托举，做出像喷泉涌动的姿势。老黄一看就明白了，那是指啤酒机。啤酒机是屡禁不绝的一种赌法，在别的地方叫开心天地——拿32个写号的乒乓球放在摇号机里，让那些没学过数学概率的人蒙数字。查抄了几回，抄完不久，那玩意儿又卷土重来，像脚气一样断不了根。

小崔打来电话，请老黄去北京烤鸭店吃烤鸭。去到地方，看见店牌上面的字掉了偏旁，烤鸭店变成了“烤鸟店”，老板懒得改过来。小崔请老黄喝啤酒，感谢他那天拽自己一把，没有动手去打那小孩。小孩第二天说昏话，发烧。送去医院治，退烧了，但仍然满口昏话。

实习的小子手脚太重，可能把小孩的脑袋进一步打坏了。但刘副局坚持说，小孩本来就傻不啦唧，只会配种不会想事。他让小孩家长交罚款，再把人接回去。

“烤鸟店”里的烤鸭味道不错，老黄和小崔胃口来了，又要些生藕片蘸卤汁吃。吃差不多了，小崔说，明天我和朋友去看织锦洞，你要不要一块去？我包了车的。那个洞，小崔是从一本旅游杂志上看到的。老黄受小崔感染，翻翻杂志，上面几帧关于织锦洞的照片确实养眼。老黄说，那好啊，搭帮你有车，我也算一个。

第二天快中午了，小崔和那台车才缓缓到来，接老黄上路。进到车里，小崔介绍说，司机叫于心亮，以前是他街坊，现在在轧钢厂干扳道轨的活。小崔又说，小时候一条街的孩子都听于哥摆布，跟在他屁股后头和别处的孩子打架，无往不胜。于心亮扭过脑袋冲老黄笑了笑。老黄看见他一脸憨样，前额发毛已经脱落。之后，小崔又解释今天怎么动身这么晚——昨天到车行租来这辆长安五铃，新车，于心亮有证，但平时不怎么开车。他把车停在自家门口时，忘了那里有一堆碎砖，一下子撞上了，一只车灯撞坏，还把灯框子撞凹进去一大块。于心亮赶早把车开进钢厂车间，请几个师傅敲打一番，把凹陷那一块重新敲打得丰满起来。

老黄不由得为这两个年轻人担心起来，他说，退车怎么办？于心亮说，没得事，去到修车的地方用电脑补漆，喷厚一点压住这条缝，鬼都看不出来。但老黄通过后视镜看见了小崔脸上的尴尬。车是小崔租来的。于心亮不急着开车出城，而是去了钢厂一个家属区，又叫了好几个朋友挤上车。他跟小崔说，小崔，都是一帮穷朋友，难得有这样的机会，搭帮有车子，捎他们一起去。小崔嘴里说着没关系，脸色却不怎么好看。到织锦洞有多远的路，小崔并不清楚。于心亮打电话问了一个人，那人含糊地说三小时路程。但这一路，于心亮车速放得快，整整用了五个半小时才到地方。天差不多黑了。一问门票，一个人两百块。这大大超过了小崔的估计。再说，同行还有六个人。于心亮说，没事没事，你俩进去看看，我们在外面等。小崔老黄交流一下眼神，都很为难。把这一拨人全请了，要一千多块。但让别人在洞口等三个小时，显然不像话。两人合计一下，决定不看了，抓紧时间赶回钢城。路还很远。

几个人轮番把方向盘，十二点半的时候总算赶回钢城。于心亮心里歉疚，执意要请吃羊肉粉。闷在车里，是和走路一样累人的事，而且五个半小时的车程，确实也掏空了肚里的存货。众人随着于心亮，去到了笔架山的山脚。羊肉粉店已经关门了，于心亮一顿拳脚拍开门，执意要粉店老板重新生炉，下八碗米粉。

老黄吃东西嘴快，七几年修铁路时养成的习惯。他三两口连汤带水吸完了，去到店外吸烟。笔架山一带的夜晚很黑，天上的星光也死眉烂眼，奄奄一息。忽然，他看见山顶上有一点灯光还亮着。夜晚辨不清方位，他大概估计了一下，哑巴小于的店应该位于那地方。然后他笑了，心想，怎么会是哑巴小于呢？今天是星期天，小于要休息。

钢渣看得出来，老黄是胶鞋帮的，虽然老了，也只是绿胶鞋。钢城的无业闲杂们，给公安局另取了一个绰号叫胶鞋帮，并且把警官叫黄胶鞋，一般警员叫绿胶鞋。可能这绰号是从老几代的闲杂嘴里传下来的。现在的警察都不穿胶鞋了，穿皮鞋。但有一段历史时期，胶鞋也不是谁都穿得起，公安局发劳保，每个人都有胶鞋，下了雨也能到处乱踩不怕打湿，很是威风。钢渣是从老黄的脑袋上看出端倪的。虽然老黄的头发剪得很短，但他经常戴盘帽，头发有特别的形状。戴盘帽的不一定都是胶鞋，钢渣最终根据老黄的眼神下了判断。老黄的眼神乍看有些慵懒，眼光虚泛，但暗棕色的眼仁偶尔蹿过一道薄光，睨着人时，跟剃刀片贴在脸上差不多。钢渣那次跨进小于的理发店撞见了老黄。老黄要走时不经意瞥了钢渣一眼，就像超市的扫描器在辨认条形码，迅速读取了钢渣的信息。那一瞥，让钢渣咀嚼好久，从而认定老黄是胶鞋。

在哑巴小于的理发店对街，有一幢老式砖房，瓦檐上挂下来的水漏上标着1957年的字样。墙皮黢黑一片。钢渣和皮绊租住在二楼一套房里。他坐在窗前，目光探得进哑巴小于的店子。钢渣脸上是一派想事的模样。但皮绊说，钢脑壳，你的嘴脸是拿去拱土的，别想事。

去年他和皮绊租下这屋。这一阵他本不想碰女人，但坐在窗前往对街看去，哑巴小于老在眼前晃悠。他慢慢瞧出一些韵致。再后来，钢渣心底的寂寞像喝多了劣质白酒一样直打脑门。他头一次过去理发，先理分头再理平头最后刮成秃瓢，还刮了胡子，给小于四份钱。小于是很聪明的女人，看着眼前的秃瓢，晓得他心里打着什么样的鬼主意。

多来往几次，有一天，两人就关上门，把想搞的事搞定了。果然不出所料，小于是欲求很旺的女人，床上翻腾的样子仿佛刚捞出水面尚在网兜里挣扎的鱼。做爱的间隙，钢渣要和小于“说说话”，其实是指手画脚。小于不懂手语，没学过，她信马由缰地比画着，碰到没表达过的意思，就即兴发挥。钢渣竟然能弄懂。他不喜欢说话，但喜欢和小于打手势说话。有时，即兴发挥表达出了相对复杂的意思，钢渣感觉自己是有想象力和创造力的。

皮绊哐的一声把门踢开。小于听不见，她是聋哑人。皮绊背着个编织袋，一眼看见棉絮纷飞的破沙发上那两个光丢丢的人。钢渣把小于推了推，小于才发现有人进来，赶紧拾起衣服遮住两只并不大的乳房。钢渣很无奈地说，皮脑壳，你应该晓得敲门。皮绊嘻哈着说，钢脑壳，你弄得那么斯文，声音比公老鼠搞母老鼠还细，我怎么听得见？重来重来。皮绊把编织袋随手一扔，退出去把门关上，然后笃笃笃敲了起来。钢渣在里面说，你抽支烟，我的妹子要把衣服穿一穿。小于穿好了衣服还赖着不走，顺手抓起一本电子类的破杂志翻起来。钢渣用自创手语跟她说，你还看什么书咯，认字吗？小于嘴巴噘了起来，拿起笔在桌子上从一写到十，又工整地写出“于心慧”三字。钢渣笑了，估计她只认得这十三个字。他把她拽起来，指指对街，再拍拍她娇小玲珑的髋部，示意她回理发店去。

皮绊打开袋子，里面有铜线两捆，球磨机钢球五个，大号制工扳手一把。钢渣睨了一眼，嘴角咧开了挤出苦笑，说，皮脑壳你这是在当苦力。皮绊说，好不容易偷来的，现在钢厂在抓治安，东西不好偷到手。钢渣说，不要随便用偷这个字。当苦力就是当苦力嘛，这也算偷？你看你看，人家的破扳手都捡来了。既然这样了，你干脆去捡捡垃圾，辛苦一点也有收入。皮绊的脸刷地就变了。他说，钢脑壳，我晓得你有天大本事，一生下来就是抢银行的料。但你现在没有抢银行，还在用我的钱。我偷也好，捡也好，反正不会一天坐在屋里发呆——竟然连哑巴女人也要搞。钢渣说，我用你的钱，到时候会还给你。那东西快造好了。皮绊说，你造个土炸弹比人家造原子弹还难。不要一天泡在屋里像是搞科研的样子，你连基本的电路图都看不懂吧？钢渣说，我看得懂。那东西能炸，我只是要把它搞得更好用一些。这是炸弹，不是麻将，这一圈摸得不好还可以摸下一圈。皮绊就懒得和钢渣理会了，进屋去煮饭，嘴里嘟嘟囔囔地说，饭也要我来煮，是不是解手以后屁股也要我来擦？

天黑的时候两人开始吃饭。皮绊说，我饭煮得多，你把哑巴叫来一起吃。钢渣走到阳台上看看，小于的店门已经关了。皮绊弄了好几盆菜。皮绊炒菜还算里手，比他偷东西的本事略强一点。他应该去当大厨。钢渣吃着饭菜，脑壳里考虑着诸如此类的事情。

钢脑壳，你能不能打个电话把哑巴叫来？晚上，借我也用用。皮绊喝了两碗米酒，头大了，开始胡乱地想女人。他又说，哑巴其实蛮漂亮。钢脑壳你眼光挺毒！

你这个猪，她是聋子，怎么接电话？钢渣顺口答一句，话音甫落，他就觉得不对劲。他严肃地说，这种鸟话也讲得出口？讲头回我当你是放屁，以后再讲这种话，老子脱你裤子打你。皮绊自讨没趣，还犟嘴说了一句，你还来真的了，真稀见。你不是想要和哑巴结婚吧？说完，他就埋头吃饭喝汤。皮绊打不赢钢渣，两人试过的。皮绊打架也狠，以前从没输过，但那时他还没有撞见钢渣。在这堆街子上混的人里头，谁打架厉害，才是硬邦邦的道理。

另一个姜黄色的下午，钢渣和小于一不小心聊起了过去。那是在钢渣租住的二楼，临街面那间房。小于用手势告诉钢渣，自己结过婚，还有两个孩子。钢渣问小于离婚的原因，小于的手势就复杂了，钢渣没法看得懂。小于反过来问钢渣的经历。钢渣脸上涌起惺忪模样，想了一阵，才打起手势说，在你以前，我没有碰过女人。小于哪里肯信，她尖叫着，扑过去亮出一口白牙，作势要咬钢渣。即便是尖叫，那声音也很钝。天色说暗便暗淡下去，也没个过渡。两人做出的手势在黑屋子里渐渐看不清。小于要去开灯，钢渣却一手把她揽进怀里。他不喜欢开灯，特别是搂着女人的情况下。再黑一点，他的嘴唇可以探出去摸索她的嘴唇。接吻应当是暗中进行的事，这和啤酒得冰镇了以后才好喝是一个道理。

对面，在小于理发店前十米处有一盏路灯，发神经似的亮了。以往它也曾亮过，但大多数时候是熄灭的。钢渣见一个人慢慢从坡底踅上来。窗外的那人使钢渣不由自主靠近了窗前。他认出来是那个老胶鞋。老胶鞋走近理发店，见门死死地闩着。小于也看见了那人，知道是熟客。她想过去打开店门为那个人理发，刮胡子，但钢渣拽住她。不须捂她的嘴，反正叫不出声音。那人似乎心有不甘，他站在理发店前抽起了烟，并看向不远处那盏路灯。

……是路灯让这个人误以为小于还开着店门。钢渣做出这样的推断。

那人走后，小于把钢渣摁到板凳上。她拿来了剪子和电推，要给他理发。钢渣的头发只有一寸半长，可以不剪，但小于要拿他的头发当试验田，随心所欲乱剪一气。她在杂志或者别的地方看到一些怪异的发型，想试剪一下，却不能在顾客头上乱来。现在钢渣是她情人了，她觉得他应该满足自己这一愿望。钢渣不愿逆了她的意思，把脑壳亮出来，说你随便剪，只要不刮掉我的脑壳皮。当天，小于给钢渣剪了一个新款“马桶盖”，很是得意。

那一天，老黄出来遛街，走到笔架山下，看见理发店那里有灯光。他走了上去，想把胡子再刮一刮。到地方才发现，是不远处一盏路灯亮了，小于的理发店关着门。他站一阵，听山上吹风的簌簌响声。这时，又是小崔打来电话，问他在哪里。他说笔架山，过不了多久小崔便和于心亮开一辆的士过来了，把老黄拉下山去喝茶。

钢城的的士大都是神龙富康，后面像皮卡加盖一样浑圆的一块，内舱的面积是大了些，但钢城的人觉得这车型不好看，有头无尾。于心亮的脸上有喜气。小崔说，于哥买断工龄了，现在出来开出租，跑晚上生意。于心亮也说，我就喜欢开车。在钢厂再扳几年道轨，我即使不穷疯，也会憋疯。于心亮当晚无心载客，拉着老黄小崔在工厂区转了几圈，又要去一家茶馆喝茶。老黄说，我不喝茶，喝了晚上睡不好觉——到我这年纪，失眠。你有心情的话，我们到你家里坐坐，买瓶酒，买点卤菜就行。他是想帮于心亮省钱。于心亮不难揣透老黄的心思，答应了。他家在笔架山后面那座矮小的坡头，地名叫团灶，是钢厂老职工聚居的地方，同样破败不堪。于心亮的家在一排火砖房最靠里的一间，一楼。再往里的那块空隙，被他家私搭了个板棚，板棚上覆盖的油毛毡散发出一股臭味。

钢厂工人都有改造房屋的嗜好。整个房子被于心亮改造得七零八乱，隔成很多小间。三人穿过堂屋，进到于心亮的房里喝酒。老黄刚才已经把这个家打量了一番，人口很多，挤得满满当当。坐下来喝酒前，老黄似不经意问于心亮，家里有几口人。于心亮把卤菜包打开，叹口气说，太多了，有我，我老婆，我哥，我父母，一个白痴舅舅，还有四个小孩。老黄觉得蹊跷，就问，你家哪来四个小孩？于心亮说，我哥两个，我一个，我妹还有一个。老黄又问，你妹自己不带小孩？

那个骚货，怎么跟你说呢？于心亮脸色稀烂。于心亮不想说家里的事，老黄也不好再问。三个人喝酒。老黄喝了些酒，又忘了忌讳。老黄说，小于，你哥哥是不是离了？于心亮叹着气说，我哥是哑巴，残疾，结了婚也不牢靠，老婆根本守不住……他打住了话，端起杯子敬过来。当天喝的酒叫“一斤多二两”，是因为酒瓶容量是600毫升。钢城时下流行喝这个，实惠，不上头。老黄不让于心亮多喝，于心亮只舔了一两酒，老黄和小崔各自喝了半斤多。要走的时候，老黄注意到堂屋左侧有一间房，门板很破。他指了指那个小间问于心亮，那是厕所？于心亮说，解手是吧？外面有公用的，那间不是。老黄的眼光透过微暗的夜色杵向于心亮，问，那里谁住。于心亮说，我妹妹。老黄明白了，说，她也离了？

离了。那个骚货，也离了。帮人家生了两个孩子，男孩归男方，她带着个女儿。

老黄又问，怎么，她还没回来？于心亮说，没回来。她有时回来，有时不回来，小孩交给我妈带着。我妈欠她的。老黄心里有点不是滋味。于心亮家里人多，但只于心亮一人还在上班。囿于生计，他家板棚后面还养着猪，屋里弥漫着猪潲水的气味，猪的气味，猪粪的气味。现在，除了专业户，城里面还养着猪的人家，着实不多了。天热的时候，这屋里免不了会滋生蚊子、苍蝇，甚至还有臭虫。

那件事到底闹大了。由此，小崔不得不佩服老黄看事情看得远。钢都四中那小孩被打坏了。实习警察都是刘副局从公专挑来的。刘副局有他自己的眼光，看犯人看得多了，往那帮即将毕业的学生堆里瞟几眼，就大概看得出来哪些是他想要的人。他专挑支个眼神就晓得动手打人的孩子。刘副局在多年办案实践里得来一条经验：最简便易行的办法，就是打——好汉也挨不住几闷棍！刘副局时常开导新手说，犯了事的家伙不打是撬不开口的。但近两年上面发下越来越多的文件，禁止刑讯。正编的警察怕撞枪口上，不肯动手。刘副局只好往实习警察身上打主意。这些毛孩子，脑袋里不想事，实习上班又最好表现，用起来非常合心。

四中那小孩被揍了以后，第二天通知他家长拿钱领人。小孩的老子花一万多才把孩子取回去，带到家里一看，小孩有点不对劲，哭完了笑，笑完了又哭。老子问他怎么啦怎么啦，小孩翻来覆去只晓得说一句话：我要嘘嘘。

小孩嘘了个把星期，大都是谎报军情，害得他老子白忙活。有时候嘴里不嘘了，却又把尿拉在裆里。他老子满心烦躁，这日撇开儿子不作理会，掖一把菜刀奔钢都四中去了。他要找当天报案的那几个年轻老师说理，但那几个老师闪人了。一个副校长、一个教导主任和两个体育老师出来应付局面。这老子提出索赔的要求，说是儿子打坏了，学校有责任。分局罚了一万二，他要求学校全部承担。校方哪肯应承，他们只答应出于人道，给这小孩支付一千块钱的医药费。两边报出的数额差距太大，没有斡旋的余地。这老子一时鼻子不通，抽出菜刀就砍人。两个体育老师说是练过武术，却没见过真场面，三下两下就被砍翻在地上。这老子一时红了眼，见老师模样的就追着砍，一连砍伤好几个。分局的车开到时，凶手已经跑出校区。坐车赶往案发现场的时候，刘副局还骂骂咧咧，说这狗日的，专拣软壳螺蛳捏。他儿子是我们打坏的，有种就到分局来砍人嘛。刘副局鼻孔里哧哧有声，扭过头跟后排的老黄说，人呐，都是憋着尿劲充硬屌，都是软的欺硬的怕。

凶手捉到后，刘副局吩咐让当地联防牵头，拎着人在钢都四中及焦化厂周边一带游街。这一带的小青年太爱寻衅滋事，借这个机会，也杀鸡子给猴看，让他们明白，分局里的警察可不是只晓得打篮球。

再后来，上面调查从钢都四中捉来的那学生被打坏的事，刘副局果不然把两个实习警察抛出来挡事。那天，老黄看见两个实习警察哭了，一把鼻涕一把泪。虽然有些惋惜，但老黄知道，这号谁拽着就给谁当枪的愣头青，不栽几回跟头是长不大的。这次情形着实严重，捂不住了。动手狠的那个，这几年警校算是瞎读了。

小崔拽着老黄走在路上，正聊得起劲，后面响起了车喇叭声。于心亮就是这样的人，只要看见小崔老黄，他就把生意甩脱，执意要送他们一程。于心亮虽然日子过得紧巴，却不把生意看得太重，喜欢交朋结友。认准了的人，他没头没脑地对你好。有两次，老黄独自走在街上，于心亮见到了，一定要载他回家。老黄自己都觉得不好意思，他和于心亮不是很熟。但于心亮说，黄哥，我一见到你，就觉得你是最值得交的朋友。这次，于心亮硬是把小崔拽上了车，问两人要去哪。小崔随口就说，去烤鸟店。于心亮也晓得那家店——“鸭”字掉了半边以后，名声竟莫名其妙蹿响了。三个人在烤鸟店里等到一套桌椅，坐下来喝啤酒。老黄不停地跟于心亮说，小于，少喝点，等下你还要开车。于心亮却说，没

知音知趣图 / 2008年 / 45cm × 48cm

京城街头戏迷图 / 2008 年 / 45 cm × 68 cm

事，啤酒不算酒，算饮料。说着，于心亮又猛灌一口。几个人说来说去，又说到于心亮的家事。那天在于心亮家里，老黄不便多问，之后却又好奇。于心亮真要说起话来，也是滔滔不绝。他日子过得憋闷，闷在肚皮里发酵了，沤成一箩筐一箩筐的话，不跟别人倾倒，会很难受。先说到他自己。于心亮觉得自己倒没有什么好说的，无非日子过得紧巴点。年轻十岁的时候，他敢打架，不想事，抓着什么就拿什么砸向对方。现在不敢打了，因为坐过牢，也怕花钱赔别人。他拿不出这钱。接下来于心亮说起了自己的哥哥，是打链霉素导致两耳失聪的。又说起了妹妹，也是被该死的链霉素搞聋的。老黄就不明白了，说既然你哥已经打那针打坏了，妹妹怎么还上老当？于心亮拽着酒杯说，这要怪我妈，她脑袋不灵便，干傻事。算好我小时候身体好，从来不打针，要不然我这一家全是聋哑。说到这里，于心亮脸上有了苦笑。他继续说自己妹妹：她蛮聪明，比我聪明，但是聋了。我爸嫌她是个女的，聋了以后不让她去特校学手语，费钱。她恨老头子。十几岁她就跟一个师傅学理发，后来……后来那个师傅把她弄了，反赖是她勾引人家。她嘴里咿里哇啦说不清楚。后来生了个崽，白花花一大坨，生下来就死掉了……为什么要讲这些屁事呢？不说了。

老黄顺着话说，好的，不说了。他蓦地想到在笔架山公园后门开店的小于。但是，小于和于心亮长得实在太不像了，若两人是兄妹，那其中肯定有一个是基因突变。

不说了不说了……哎，说说也没关系。于心亮自个儿憋不住，要往下说。……后来她结了婚，但那男的喜欢在外面乱搞，到家还拿她的钱。她的理发店以前就在团灶，手艺好人性子也好，所以店面一天到晚人都不断。她男人拿着她的钱去外面弄女人。有一次，有个野女人还闹到家里来。我赶过去，女人晓得我厉害，掉头就跑。我觉得这事我应该管管，谁叫我是她哥哥，而她又聋哑了呢？我过去把她男人收拾几回，她男人正好找这借口离婚。所以，她恨我。但这能怪我吗？你再怎么离不开男人，也得找个靠得住的啊。说她聪明，毕竟带了残疾，想事情爱钻牛角尖。于心亮歇嘴的时候老黄说，你那妹妹，是不是在笔架山上开理发店？于心亮眼珠放亮了，说你认识啊？老黄说，她刮胡子真是一把好手。于心亮咧嘴一笑，说，是的咧，那就是我妹妹，人长得蛮漂亮，不像我，长得像一个莴苣。老黄说，今天别开车了，等下你回去休息。于心亮说没事，又撮了个响榧子，要了三瓶啤酒。各自喝完一杯，于心亮眼里明显有些泛花。老黄只有提醒自己少喝，等下帮他把车开回去。

于心亮又说，黄哥，听崔老弟说你离婚了，现在一个人单过？老黄眼皮跳了起来，预感到这浑人要借酒劲说浑话，赶紧支开话题想说些别的。于心亮说，别打岔哥哥，你真是个聪明人，一下就听出苗头了。你人稳重，我知道你是好人。我妹妹虽然两只耳朵配相，但她年轻，懂味。你对她好，她就会满心对你好……

……哎，亮脑壳我得讲你两句，玩笑开大了啊。也不看看我什么年纪。我女儿转年就结婚了。老黄赶紧板起脸说，小于你喝多了，讲酒话哩。于心亮说，我怎么讲酒话了？小崔说，于哥，你确实讲酒话哩。于心亮酒醉心明，觑了一眼，见老黄的脸板了起来，舌头赶紧打了个转，说，不是酒话咧，今天搭帮你们请，吃多了烤鸟，一口的鸟话。

钢渣这一阵很充实，把造炸弹的事先放一放，转而去跟哑巴老高学手语。哑巴老高是卖手切烟丝的。钢渣喜欢买他切的白肋烟，抽着劲大，一来二去算是熟人了。老高认字，钢渣翻着新华字典，要问哪个词，就指给老高看，老高便把相应的手语做出来。钢渣觉得手语比较好学，因为形象啊。他甚至怀疑，手是比舌头更能表义的东西。从老高那里回来，钢渣就把手语现买现卖地教给小于。小于乐意学。她自创的手势表意毕竟有限，比如说，小于指一指钢渣，钢渣就知道是在叫自己；但如果小于想亲昵一点，想拿他叫“亲爱的”呢？若不学正规手语，这就很麻烦。钢渣教小于两种手势，都可以表达这意思。其一：双手握拳拇指伸直并作一起，绕一个圈；其二：右手伸开，轻抚左手拇指的指背。小于有她的选择，觉得第二种暧昧，不像是说亲爱的，倒像暗示对方上床做爱。小于倾向于使用第一种手势。一个拇指代表一个人，两个有情的人挨得近了，头脑必然会有发晕的感觉——这真是很形象啊。

钢厂有个电视台，除了每两天播放十分钟的新闻，其余时间都在播肥皂剧和老电影。钢厂台片源有限，一个片子会反复播放。小于记性特别好，片子里的情节即使再复杂，她看一遍就全记下来了，下次有重播，她抢着给钢渣描述下一步的剧情。她最喜欢看年代久远的香港武打片，看里面的人死得一塌糊涂。她要表达杀人的意思，就化掌为刀作势抹自己的脖子，然后一翻白眼。钢渣从老高那里学来的标准手语，“杀人”应该是用左手食指伸长，右手做个扣扳机的动作。但小于嫌那动作麻烦，她宁愿继续抹脖子。她对钢渣教给她的手语，都是选择接受。钢渣越来越喜欢这个哑巴女人了。她身上有一些说不清道不明的东西，使得他对她迷恋有加。他时常觉得不可思议，再怎么说，他钢渣也不是没见过女人的人，到头来却被一个哑巴惹得魂不守舍。

小于仍时不时拿钢渣的脑袋当试验田，剪成在破杂志上看到的任何发式。每回见面，她总是瞅瞅钢渣的头发长得有多长了，要是觉得还行，就把钢渣摁在板凳上一阵乱剪。这天，电视里播了一部外国片子,《最后的莫希干人》。小于看了以后，两条蚯蚓一样的目光又往钢渣的头皮上蠕动了。钢渣头发只长到寸多长，按说不适合打理莫希干头，但小于手痒，一定要剪那种发型。发型很容易弄，基本上像是刮秃瓢，中间保留三指宽的一线头发。没多久，大样子就出来了。发型改变了以后，钢渣左脑半球上有一块疤，右边有两块，都暴露出来了。这是许多年前被人敲出来的。算好还留有一线头发，要不然他头皮中缝上的那颗红色胎记也会露出来。钢渣正这么想着，小于又拢过来了。她觉得这个发型很不好看，干脆一不做二不休，给钢渣刮个秃瓢了事。

钢渣递给小于五十块钱，要她给自己买一顶帽子和一副墨镜。她下到山脚，买来这两样东西。帽子有很长的鸭舌状的帽檐，但并非鸭舌帽；墨镜是地摊货，墨得厉害，随便哪个时候架在鼻梁上，就看见夜晚了。

皮绊进屋的时候，看见钢渣正在整理帽子。皮绊说，捂痱子啊。钢渣没有作声。皮绊又看见那副墨镜，仿佛明白了。钢渣当然不会是去旅游。皮绊恍然大悟地说，钢哥，炸弹弄出来了？要动手了？钢渣只得掀开帽子，让他看看光头。钢渣说，又被刮了光头，脑壳皮冷，戴戴帽子。皮绊很失望地睨他一眼，说你怎么老往后面拖啊？要是不想干了，跟我明说，别搞得我像傻婆娘等野老公一样，一辈子都等个没完。

钢渣也挺无奈。他时不时去回忆，身上捆炸药包去银行抢钱的想法是怎样形成的，又是怎样固定下来并付诸实施的呢？一开始无非是酒后讲讲狠话，皮绊听后却认真了，说要给他打下手，还老问他几时动手。钢渣又不好意思说我这是讲酒话。多扯几次，造炸弹抢银行的事竟然越来越清晰，从酒话嬗变成了具体的行动。而钢渣，他感觉自身像是被扭紧的发条一样。扭发条的人显然不是皮绊，那又是谁呢？皮绊这一根筋的家伙好几次对他说，钢渣，你莫不是故意讲狠话吓别人吧？你打架厉害，但打架厉害的，未必个个都不要命。钢渣嘴是很犟的，面对皮绊的质疑，依了他的性子，只会死争到底。他说，炸药还没造出来，他妈的，造炸药总比种

“双两大”更要技术吧？要不然你来弄，我等着。你哪时造好我们哪时动手。皮绊就没话说了。他虽然老嫌钢渣的手脚慢，但换是他，肯定一辈子也造不出比鞭炮更具杀伤力的炸弹。

炸弹过不多久就会弄好。虽然有几个技术点需要攻关，那也是指日可待的。钢渣心里很明白。

那天清早，小于主动过来和钢渣亲热了一回。然后她告诉他，自己要出去几天。离婚后判给前夫的那个孩子病了，要不少钱。她手头的钱不多，得全部送过去。她自己也想守着孩子，照看几天。毕竟那是自己身上掉下来的肉呵，离婚这事也割不断。

以后几天，钢渣果然没看见小于开店门。他一直坐在窗前，看马路对面的理发店。他很想手头有一笔钱，帮帮小于。钱也许不算什么东西，但很多时候，钱的确要比别的任何东西更管用。钢渣看武侠小说长大的，那书看多了，使他误以为只要打架厉害，就会相当有钱，走南闯北肆意挥霍，过得很潇洒。现在成年了，他才知道根本不是那么回事。

皮绊又拖了一袋东西回来，解开绳系，里面叮叮当当地滚落出许多小件的物品，竟然还夹杂着一两个空啤酒瓶。钢渣本来想揶揄两句，却没能张开口。他心里忽然涌起一阵难过。

炸弹造得怎样了？皮绊扔来一本书，竟是二十世纪七十年代初出版的“青年自学丛书”中的一本，基层民兵的国防知识教材。封面上还拓着一个章：发至下乡知识青年小组。皮绊说，你看看有没有用。里面印得有炸弹的图，从中间切开了。炸弹能从中间切开么？

皮脑壳，那叫解剖图。哪捡来的？这书没用，就好比把《地雷战》看上二十遍，你同样造不出地雷。摸着这本年代久远的书，钢渣心情愈加黯淡。他真想揪着皮绊的耳朵灌输他说，现在人类跨入二十一世纪了，凡事要讲科学，讲技术，就是造土炸弹，也需要很高的工艺水平。但是皮绊这号人，他如果能理解，还至于在捡啤酒瓶的同时揣着一堆发财梦吗？最后，钢渣总结而得一个认识：如果以后和小于生了一个孩子，定要让他好好学习天天向上。

皮绊坐下来，剥开一包软装大前门，抽了一口，打商量地说，钢哥，也不一定要造炸弹，我们先从小事做起……那口烟雾很饱满，皮绊说的每一个字，都拌和着烟雾往外蹦。他接着说，除了抢银行，别的事也可以干。比如说去铁路割电缆，去搞空调机外机，去货站搞锌锭。虽然一手搞不到很多，但还算安全，可以聚少成多。钢渣皱了皱眉头。他从来没想过去做这些小事，现在也提不起兴趣。皮绊继续往下说，要不然，我们可以去搞的士司机的，这些家伙，身上一般都揣千把块钱，搞得好，拿刀子一比，他们就老老实实把钱交出来。李木兴得手好几次，小范那茬人也干这事。钢渣觉得这事稍微靠谱一点。再说他不能老是对皮绊说不，说得多了，皮绊会以为他胆怯。钢渣问，皮脑壳你会开车吗？皮绊说，我会，只是还没搞驾驶证。钢渣笑了说，你这猪，开抢来的车还要什么驾驶证？不如现在我们就开始做准备？

拿定主意以后，钢渣来到窗前，看看窗外的午后天光。他很想见见小于。小于的店门闩得铁紧。过了不久，雨就开始下起来了。

案发现场在右安区和大碇工业园之间的一段，四车道公路旁斜逸而出一条窄马路，傍溪流往下走。沿这路前行两里，现出一片河滩。尸体被抛在河滩一处凹槽里。被警戒线一勾勒，案发现场有了更多的沉重感。车顶灯还在忽闪着。这样的早晨，空气尤其黏稠。老黄坐的车半路抛锚，慢了十来分钟。到地方，老黄瞥见小崔的脸上有泪水淌过的痕迹。一个男人一旦流泪，即使擦拭再三，脸上也现出大把端倪。这跟女人不同。

怎么了？隔着三五步的距离，老黄开口问话。小崔被老黄的询问再次触动，眼窝子又润起来，没有说话。老黄拢过去看。尸体保持着被发现时的状态，脸朝上面翻，表情和肢体都凝固成挺别扭的样子。老黄感受到这人死得憋屈。死者的面相，看着熟悉。因为死亡，人的脸会乍然陌生起来。老黄再走近几步，才确认死者就是于心亮。

现场勘验有条不紊地进行着，一拨人呈篦状梳理这片河滩，仔细寻找着指印、足迹、遗留物及别的痕迹。老黄发觉自己有些多余，走到近水的地方，在一块卵石上坐下来，摸出烟卷。他看见一辆警车顶灯打着旋，晃进眼目。雾气正从河滩一堆堆灌木丛中升起，并散逸开去。他点了烟，随意地瞟几眼，就大声招呼就近的那个警员过来拍照。再一想，光拍照还不够，老黄补充说，把石膏粉取来，要做个模。在他身边不远的一块松软的土皮上，遗留有单个足印。在办案方面，老黄轻易不开口表态，一旦说了话，年轻警员会拢过来按他意思办。在足印勘验方面，老黄称得上是专家。分局调他过来，看中的也是这一点。

接下来，老黄在一丛骨节草里发现两枚烟蒂，一并取走。水边有一溜脸盆大小的卵石，是专让人坐着休憩的。他想，屁股的坐痕没什么价值，否则应显个影。他能断定，案犯在这里坐过——把尸体抛弃以后，案犯在河中洗去血迹，感到累了，就坐着抽烟。杀人之后，凶手通常会感到前所未有的疲累。河面宽泛，但河水相当浅，要不然尸体不会搁置在河滩上。

老黄用石膏做模时，好些年轻警员围了上来。一开始做模，总不得要领，能看到老黄这号专家现场操作，自然要多留些心眼。老黄把可调围带围着足迹绕几圈，并清理其中的细小杂物。对于足迹不清晰之处的轻微整理，只能是老手凭经验把握的事。老黄把石膏浆徐徐灌注进去，偏着脑袋看年轻警员绷紧的脸，心里淌过些许得意。适当纵容心里那份得意，能获得上佳的工作状态。

紧接着的现场分析会，刘副局首先发言。刑事重案基本上由刘副局主抓。他的办法老旧，不计物力人力，搞大规模的查缉战，但总是能收到效果。死者的身份得到确认以后，刘副局就认定这是一桩抢车杀人案。去年以来，钢城的抢车、盗车案频发，背后肯定隐藏着一个团伙。市局已经做了整盘的战略部署，重点抓这案子，目前处于搜集线索筛查信息阶段。网张开了，收口尚待时日。刘副局把这起案件归口并入盗车团伙的案件，看上去也是顺理成章的。再者出租车是抢盗的重点，因为款式常见，价位不高，有利于盗车团伙成批地卖出去。抢车盗车团伙经过若干年发展，零售生意做起来不过瘾，喜欢打批发，整趸。

在此之前，抢车盗车案里没有伴发命案。刘副局既然把这起杀人案并入其中，就有理由认定盗车团伙的案情正在升级，市局的全盘部署有必要做出相应调整，应多抽调警力，加大盘查力度。刘副局把他的意思铿锵有力地说了出来。他说话时，习惯性把手中纯净水胶瓶捏来捏去，使之不断地瘪下去又鼓起来，发出碎裂的声音。

有时老黄想跟刘副局讨论讨论办案成本的问题，话到嘴边又憋住了。他知道，刘副局的脑袋装满既定经验，这辈子也不会理解诸如“办案成本”之类的概念。抓得住老鼠才是好猫，但抓鼠的时候撞碎了一柜子碗碟，那是主人家考虑的事情。

现场分析会，正是坐在那一圈卵石上召开的，石面沁凉，冷气幽幽蹿进肛肠。这次老黄站起来发了言，陈述个人观点。他认为，把这案子并入抢车、盗车系列案件为时过早。刘副局不吱声，眼神杵了过来。老黄说，这起案件和以往团伙盗车案件，特征上有明显的不同。首先，以前的抢车案，从未并发命案，顶多只是用钝器敲击车主，致使车主昏厥以便实施抢夺。那个集团的案犯主观上一直不存在杀人动机。但这起案件，凶犯持锐器作案，一动手就直逼要害，取人性命……

年轻人都听得认真。刘副局眼光扫了一遍，撇撇嘴，又捏瘪了胶瓶，但胶瓶已经漏气，没有冒出声音。他问，还有么？老黄笑一笑，仿佛等着刘副局有此一问。他把刚倒成的石膏模拿出来，摆在众人中间，指着上面相应的部分说事。……这个鞋印，我看未必能用常用公式套算身高。现场采集的案犯鞋印，纹路有两种，物象型、畦埂型。鞋码都较大，套公式算，这两个人都是一米八以上的高个儿。本地人普遍个儿矮，两个一米八以上的高个儿碰在一起并不多见。真是这样，案件反而有了重大的突破口。但从那丛灌木（老黄说话时用手指一指方向）后面取得的成趟足印可以看出来，步幅合不上这种身高。从这模型上进一步印证了，案犯是有意穿大码子的鞋，进行伪装，误导刑侦方向。所以说，我们要是按常规算，鞋码放余量的估计肯定不准确。老黄把鞋模子举高了一些示意众人，接着说，案犯两人应都是三十以上的壮年男人，足印具有这个年龄段的典型特征，有明显的擦痕、挑痕和粭痕。按说足印前端的蹬、挖应该很浅，但这个足印，前端几乎不受力，向上翘起，不符规范。这一点进一步印证，案犯的鞋超出脚码一截，前端塞有软物，但踩在地上是虚飘的……

那又怎样？刘副局插进来一句。

老黄拧开一瓶水，拖拖沓沓地喝了几口，往下说，穿超脚码的鞋作案，显然不利于行走。盗车团伙的成员作案多了，即使要伪装，要反侦破，也不会在鞋码上做文章，给自己不方便。这起案件的两个案犯，显然作案不多，所以在伪装上用力太猛，太想伪装得周全。我认为，可以和盗车团伙的案件明显区分开，这起案件应单独侦破。

……你也不要把话说得太满。刘副局说话时脸皮已垂塌下来，吐字像鲫鱼鼓水泡，一个个往外迸。他说，我看不妨两条腿走路，暂且归入系列抢车、盗车案，借市局的整体部署，进行大规模查缉。这案件有特殊的地方，再指派专人调查。刘副局当了多年领导，这时已拿出了毋庸置疑的语气。老黄不再往下说了，怕他当自己在捋倒毛。

撤离现场时，老黄叫小崔还有另两个年轻警员挤进一辆车，脱离大部队一路缓慢行驶。他希望这一路上能找到别的线索。把案发现场处理完毕，再沿路寻查一番，是老黄多年形成的习惯，且屡有收获。再说，在现场脑子狂转半天，也需要坐在慢车上舒缓地看着沿途景物，放松自己。路边的草总是乱的，有些被风吹出形状，像用发胶固定的发型。有的地方，草已经开始颓败。老黄忽然叫司机停车，他跳下车往十丈开外的一个黑斑走去。小崔问，怎么了？他回答，说不清楚。就想过去看看。老黄走得不徐不疾，折回来时手里多了一顶帽子。那是年轻人常戴的帽子，黑色，帽舌很长，内侧贴有美特邦品牌的标识。

一顶帽子。小崔说。他拿过来看了看，没有什么特别。老黄问他，对，一顶帽子，你看看有什么不同？小崔就有些紧张了，非常想一口蒙出老黄心里的标准答案。但他端详半天，始终没有看出端倪。老黄说，你肯定想深了，往浅里走，还不行，就把你自己的帽子脱下来比对一下。小崔照做了。但拿自己的盘状警帽和这顶遮阳帽做比对，又有什么意义？老黄也不想为难他，最后呵呵一笑，指着遮阳帽的内侧口沿说，看这里。这顶帽子还没浸得有脑油，肯定刚戴了不久。小崔问，怎么能肯定是案犯留下的呢？

这顶帽子一看就是正牌货，值大几十块钱，估计是被风掀掉的。要是不是案犯作案时时间仓促，哪有不把帽子捡起来的道理？小崔在老黄一再启发下，慢慢找到些感觉了。他说，案子应该是在这段路做下的，这才是第一现场？小崔的目光沿公路前后延展，灰色路面阒寂得犹如一条死蛇。老黄没有回答，他把帽子戴在自己头上。这样，他就闻到帽子里面逸出的爽身粉气味。现在，头发剪成型后，帮顾客头上扑些爽身粉的理发师，差不多都退休了。

在团灶，追悼会总是开得很热闹，这破蔽的地方，人却很多。老黄小崔各买一面花圈，上面写着祭奠的文字。钢厂和于心亮熟识的人来了一坪，围了好多张桌子打纸牌或者搓麻将。老黄在一个角落里拣张凳坐下。旁边那桌，一个打牌的人接了个电话要走，招呼老黄过去接几圈。他说，老哥，替我打两圈。老黄点点头，挤到牌桌边。这一桌的几个人都是三级牌盲，厕所打法，每一级输赢五角钱。老黄有点索然无味，一边赢钱，一边还漫无边际地走神。

晚九点，他看见了哑巴小于。据说白天家里人去找她，把笔架山前后翻个遍，都没能把人翻找出来。现在她自己来了，穿得很素，眼泡子在来之前就哭红了，有些发肿。走到于心亮的遗像前，小于开始哭泣。小于的哭声很低，听着有点瘆背。很多人抽出脑袋看向小于。小于很快哭塌了下去，又被亲戚架起来。老黄勾下脑袋甩牌。小于哭够了以后，慢慢踅向这个方向，在老黄刚才坐的那张椅子上坐下。老黄瞥了她一眼，她好半天才回瞥一眼，认出这是个老顾客。她抹着眼睛勉强笑一笑。转瞬，她又恢复了哭丧的表情。

凌晨两点，一个长鱼泡眼的年轻人走进灵堂，径自走到小于面前。那时小于趴在自己膝盖上睡过去了，鱼泡眼把她拍醒，示意她出去说话。老黄下意识把鱼泡眼打量一番，最后免不了看向那人的鞋子。这也是职业习惯，老黄看一个人，目光最终会定格在对方的脚下。水泥地面太硬，刚扫过，没有积灰，所以也没留下鞋印。老黄砸牌的时候，眼角余光往灵堂外面瞥去，小于已随着鱼泡眼去到看不见的地方。外面，钢城的夜晚是巨大的，漆黑一片。

钢渣这一晚很是烦乱，他后悔杀了人，不但没抢到几个钱，而且杀掉的那家伙竟是小于的哥哥。钢渣恨恨地想，这么狭长，这么宽阔的钢城，事却偏偏这么巧合？杀人的当时，他看了看那司机的嘴脸，根本没法和哑巴小于联系起来。当晚，去到停灵的地方，他叫皮绊进去把小于带出来。小于出来后，他拽着小于沿一条胡同往深处走，皮绊知趣地消失了。在一盏路灯底下，他摘下帽子，搔了搔头皮，用手势询问小于，家里出什么事了？小于流着泪告诉他，自己的哥哥死了。

钢渣非常清楚，于心亮确实是被抹了脖子死去的。小于的眼泪不断地溢出来。她两眼紧闭，却禁不住泪水。在淡白路灯光照耀下，小于紧闭的两眼像两道伤口，液体不断地泌出来。钢渣帮小于抹去眼泪，从裤袋里掏出几张老头票，横竖塞进她手里，并说，不要太难过，还有我。小于强自笑了，把即将夺目而出的眼泪呛回眼槽子。钢渣被小于的微笑再次打动，把她抱到背光的地方，狠狠地吻她。他把她舌头吐出来后，情欲已经不要命地勃发了。他打一辆车去到笔架山上，把她拽进租住的房间。一阵零乱的抚摸过后，钢渣明显感觉到小于的身体正在发潮，发黏。他不敢开灯，因为知道她表情必然是左右为难的，是惘然无措的。

漫长的做爱过程中，钢渣听见远处不时有鞭炮声响起来。也许，同一晚，偌大一个城区会有多处停灵，那鞭炮也不一定是放给于心亮的。

刘副局暂调市局主抓抢车盗车团伙的案件。这事下的力度很大，调查取证还顺，套用开会时的俗常语，说是“取得阶段性成果”应不为过。几个主要案犯已悉数进入掌控。在市局的会议上，刘副局表明了自己态度，认为应该提前收网，不求一举抓获所有案犯，而是重点击破，然后查漏补缺，到第二阶段再把那堆虾兵蟹将一个个刨出来。市局肯定了刘副局的意见，但这网口太大，甚至要跨省寻求兄弟单位联动，前期工作必须做得扎实周密。

最近刘副局不大看得见人，几乎都在外面跑联络工作。时而回分局了，也是一身时髦便装，腋窝里随时挟着个锃亮的皮包，看着像广东来的商人。分局里的人抽走一些，随刘副局跑外线的联络工作。剩下的一帮警员办起案来，都肯去老黄那里讨主意。老黄往人堆里一站，分明就是主心骨的模样，但他偏偏生就了闲性子，谁找他拿主意，他就说，你自己看着办。老弟，车有车路马有马路，我看你肚皮里的鬼主意比我多得多。

老黄把注意力放在那顶帽子上。他不事声张，只安排三名警察去查这个事。搭帮刘副局外出，老黄得以放开手脚。揪住这细微线索摸排查找，小崔等年轻警察都觉得玄虚了些，从半路捡来的一顶帽子切入，似乎太不靠谱。钢城说大不大，人口也上了百万，狭长的城市被割成若干区。这顶帽子再常见不过，找起来，摆明是大海捞针。再说，帽子跟案情有无关系，眼下根本确定不了。老黄脸上总是钝钝的微笑，跟他们说，未必然。事情没做之前，是难是易没个准。很多事做起来要比料想的难，但有些事，做起来会比料想的容易。

事情上手一做，年轻警员果然觉察到了自己的先验意识有偏差。确认这顶帽子是美特邦品牌的正品货以后，所有的批发市场、路边店、地摊都可以排除了。美特邦在钢城的专卖店有五家连锁，找到总代理商一统计，该型号是去年上市的主款型，整个钢城走货量是174顶。有发票和收据（必须事先向店主申明是公安局办案，与工商局无涉，店主才会亮出收据）记录的计51顶。小崔打算循着发票收据先查访那51人，但老黄说，这51人先搁在一边，进一步缩小范围，查另外的123人。店主和店员循着记忆向警员描述这款帽子的买家，像羊拉屎一样，这次想起一两个，下次又想起一两个，稀稀拉拉。到这阶段，开始磨炼几个警察的耐性了，他们得频繁光顾那五家店铺，搜集新近记起来的情况。小崔用电脑记录下对每一个顾客的描述。这事情干了一阵，反而能从烦琐里得来一些清淡的滋味。

帽子的事还没有眉目，市局已决定近期对盗车团伙收网围捕。所有分局都要为这事忙碌起来。刘副局已回到分局，脱下老板装束，重新示人以警服笔挺的模样。老黄只好把那案子放一放，投入市局整体部署中。

统一行动前，所有参战警员都到市局大会议室里集中。场面有点像劫匪自助餐式打劫，进去的人首先取一对联号标签，签上大名，其中一张标签拴在手机天线上。接着，几个女警员煞有介事地拿出不锈钢托盘，在座位间齐头并进。大家都把手机放到托盘里面。老黄把手机哐啷一下搁进托盘。小崔第一次看见老黄用的手机，竟然是五年前的款型，诺基亚5110，非常巨大，像个榔头。那手机往托盘里一放，端盘女警员的胳膊似乎都压弯了一些。后面的警察看着托盘，忍不住嗤笑出声来。老黄那手机和别的手机搁在一起，分明就是象入猪群。

行动那天，老黄有些打不起精神。小崔却是一股子劲，因为动员会已经激出了他的临战状态。那天晚上的行动，却显得寡淡，定了点去捉人、找车，感觉像在自家地里刨红薯一样。老黄小崔这组负责抓一个姓全的案犯，在黄金西部大酒店二楼洗浴中心的一个包间。两人进到里面抓人时，重脚踹开塑钢门，见那家伙躺在一只农村用来修死猪的木桶里，倚着一个姑娘，正舒服得哼哼唧唧，每个毛孔都摊开着。见有人举着枪进来，姓全的案犯神情笃定，一派处惊不乱见多世面的模样。等小崔挨近他身边，他忽然脸一变，扯开嗓门号啕大哭起来。小崔厌恶地吐一口唾沫，觉得真他妈没劲，神经绷紧了老半天，却撞到这样一头蔫货。

另一队派往氮肥厂旧仓库抄查的警察，得以见到非常壮观的情景：拉开仓库门，里面整整齐齐堆垛着长十来丈宽四五丈高一丈余的化肥袋子。但把表面一层化肥袋搬开，里面竟全是车，堆叠着码放。车有偷来的，也有报废的车。该团伙的信誉不蛮好，把报废车维修一下，再喷涂翻新，拿出去当赃车卖，以次充赃，从中赚一份差额。老黄自始至终只关心一件事：有没有于心亮的那台车。这次行动，没有找见那车。之后个把月里，市局顺藤摸瓜扩大战果，跨省追回了四十余辆卖出去的赃车，这其中也没有于心亮的羚羊3042。

庆功会如期进行，刘副局当天十分抢眼，嘴巴前面搁着或长或短的话筒，简直像一堆柴。刘副局说了好多的话，都有些说醉了。当晚，分局的人被刘副局死活拽去K歌。老黄小崔随了前面的车一路走，再次来到黄金西部大酒店。里面有很多妹子，行尸走肉般来去穿梭，一眼便可瞥出来，都是卖肉的。小崔觉得这有些滑稽，怎么偏偏来这地方呢？他睃了老黄几眼，想知道他的看法。老黄似乎没注意小崔的脸色。话筒递到他手上，他唱起了《有多少苦同胞怨声载道》。本来是两个人的唱段，一帮年轻的警察蛋子哪配得上腔？老黄只好一人两角，既唱李玉和，又扮磨刀人。其实老黄看出来了，小崔心中有疑惑。他又怎么好告诉他，这家大酒店，刘副局参着暗股。把皮条生意做到如此规模，如果没有公安局的人参暗股，可以说，一天都开不下去。当然，老黄是听熟人说的，也不能确定。虽然这样的事熟人不可能胡乱开口，但老黄作为一个警察，更相信证据。

既然这次行动没有找到于心亮的车，老黄就可以跟分局提出来，把于心亮那案子单独办理。这件事自然由他主抓。他点了几个人。其实这一拨人，早就确定了的。

这以后不久，小崔从美特邦团灶店得来一个消息，有个女哑巴也曾来买过这款型的帽子。该店员请假刚回来，她把买帽子的女哑巴记得很牢靠。要是一个正常人买一件小货，很难记得牢靠，或者张冠李戴，本来是买裤衩却记成了帽子。但一个女哑巴来买男式便帽，店员就留心了。女哑巴用手势比画着跟店员讨价还价，该店员好半天才跟她说通，店里一律不打折，这和地摊是不一样的。店员以为哑巴若得不到打折就不会买，但她还是买了。小崔记录着女哑巴的体貌特征，又听见店员说，时不时还看见那哑巴从店门前走过去。

小崔把那条记录给老黄看，问老黄想到了谁。老黄眼也不眨，第一时间就反应出了小于。小崔也点点头。于是老黄蹙起眉头，说，是不是，小于买给她哥的？难道这顶帽子是戴在于心亮头上？于心亮没有戴帽子的习惯啊。小崔认为有这可能。他说，于心亮不是跑出租了嘛。司机一天在外面跑，都喜欢戴顶舌檐长的帽子。小于要送她哥哥一顶，完全说得过去的。

为确认那个哑巴，小崔在美特邦团灶店枯坐几天。

直到一个下雨的午后，那店员忽然在他肩头一拍，说，就是她，就是她。循着指向，小崔果然看见了哑巴小于。回到分局，小崔认为帽子这条线索应予作废——很明显，小于买帽子是送给于心亮的，因此帽子是从于心亮头上掉落的。老黄的意思是，不忙惊动小于，观察她一阵，看看她平时跟哪些人接触。

次日，小崔按老黄的安排去了笔架山，以小于店面为原点，观察周围情况。对街有一栋漆黑肮脏的楼房，五层高。他爬到楼顶平台，在一间用油毡盖顶的杂物间找了个观察点，待在里面向下看。在小崔看来，小于的生活最简单不过，每天开门关门，有的晚上会去赌啤酒机。她两天挣的钱，只够买五六注彩。在场子里，小于基本上是用眼睛看别人赌。有一天她押中一个单号，赢了32倍，其后一整天她都没有营业，全待在场子里，直到把钱输光。

第四天，小崔看见小于搬来很多东西堆到自己店子

早春图 / 2014年 / 136 cm × 68 cm

捏泥人 / 2014年 / 136cm×68cm

里。看情形，她打算吃住都在店里，不回家了。小崔断定小于身上不可能有什么问题，于是他下了楼，走过街进入小于的店子，看自己能不能帮上忙。小于认得小崔，知道是哥哥的朋友，在干警察。她把东西堆在屋子里，不作整理，脸上挂着呆滞的表情。小崔把那顶帽子拿出来让小于看，小于眼泪扑簌簌流了出来。不用问就知道，帽子是她送给于心亮的。她想把帽子取回去作个纪念，但小崔摇了摇头。

这条线索断了，几个人都不免沮丧。在这件事情上，众人花费不少时间，却是这样的结果。小贵忍不住说了一句，怎么早没想到，帽子有可能是死者戴过的。老黄没有作声。他自嘲地想，也许，我就懂观察脚上的鞋呵，观察帽子又是另一种思路了。

当晚，老黄坐在家里，看电视没电视，看书也看不进去，把玩着那顶帽子，发现左外侧有一丁点不起眼的圆形血斑，导致帽子布面的绒毛板结起来。帽子是黑色的，沾上一丁点血迹，着实不容易辨认。他赶紧拿去市局技术科，请求检验，并要跟于心亮的血液样本进行比对。他也搞不太清楚，这么一丁点血迹能否化验。技术科的人告诉他，应该没问题。结果出来了，报告单基本能认定，血迹来自于心亮。老黄更蒙了。尸检显示，于心亮的鼻头被打爆了，另一处伤在颈右侧，被致命地割了一刀。

他想，如果是于心亮自己的血，怎么可能溅到自己的帽子上呢？血斑很圆，可以看出来是喷溅在上面的，而不是抹上去的。中间有帽檐阻隔，血要溅到那位置，势必得在空中划一道屈度很大的圆弧，这弧度，贝克汉姆能弹钢琴的脚都未必踢得出来。

那天钢渣打开房门刚要下楼，见一个人正走上来。这人显然不是这里的住户，他一边爬楼梯一边不停地仰头往顶上面看。这人行经钢渣身边时，钢渣朝门角的垃圾篓吐一口唾沫，然后缩回房间去。他一眼看出来，这人也是个绿胶鞋——他左胯上别着家伙，而手机明明拽在手上。钢渣去到朝向小于理发店的那扇窗户前，用镜面使阳光弯折，射进店子里，晃动几下。小于发觉了，刚站到门边，钢渣就用手势告诉她，不要过来，晚上他会去找她。

当晚小于去到啤酒机场子，果不然，那个绿胶鞋后脚跟来了。钢渣愈发认定，这胶鞋是冲自己来的。直到小于离场，胶鞋还后面跟着走了一段。十一点钟样子，胶鞋看了看表，离开小于，循另一条道走了。钢渣叫皮绊在外面把风，然后把小于拽到租住的房子里，又是一阵疾风迅雨地做爱。小于对这种事的疯劲，总是让钢渣的情绪持续高涨，他喜欢被女人掏空的感觉。事毕他亮开灯，抱着她放在靠椅上，同她说话。他告诉她，自己要离开一段时间。

小于很难过，她觉察到钢渣这一走时间不会短。若是两三天的外出，他根本不会说出来。但以前两三天的分别，也足以让小于撕心裂肺地痛起来。她的世界没有声音，尤其空寂，一天也不想离开眼前这个男人。她认识他以后，很多次梦见他突然消失，像一缕青烟。她在梦里无助地抓捞那缕青烟，但青烟仍从她指缝间轻轻飘逝。

小于做着手势，焦虑地问他，你说实话，是不是以后再也不来了？钢渣一怔，他也有这种怀疑。自己毕竟沾了命案，这一去回不回来，能一口说准么？他跟她说，时间较长，但肯定要回来。小于的眼神乍然有了一丝崩溃，蜷曲在钢渣怀里，眼角发潮，喉咙哽咽起来。他抱了她无数次，这一次抱住她，觉得她浑身特别黏糊，像糯米团子。他喜欢她的这种性情，不懂得矜持，不晓得掩饰自己的眷恋。她没受过一丁点教育，所以天生与大部分女人不同。钢渣却不像以往一样，长久地拥抱她。她打手势问，什么时候回来？说一个准确的时间。他想了想，燃起一支烟。然后，他左手四指握着，拇指跷起。这个手势可以代表很多个意思，但钢渣把烟蒂作势朝拇指尖轻轻一杵，并迅速把五个手指摊开，小于就理解了。钢渣打的意思，是说放鞭炮。她双手抱拳，作庆贺状。标准手语里，这就是“春节”的意思。钢渣知道她看明白了，用力点了点头，嘴角挂出微笑。她破涕为笑。他继续打手势说，到那一天，把店面打扮得漂亮一点，贴对子挂灯笼，再备上一些鞭炮。到时他一定来看她。他还跟她诅咒，如果他不来，那就……他化掌为刀，朝自己脖子上抹去。她赶紧掰下他做成刀状的那只手，一个劲儿点头，表示自己相信。

钢渣皮绊当晚就转移了地方，去到相距较远的雨田区。

大碇东边的水凼村，有一个不起眼的水塘，水面不宽，只十来亩，但塘里的水很深。秋后一天，有个钓鱼人栽到塘里死了，却不见尸体浮上来。其亲人给水塘承包人付了钱，要求放干水寻找尸体。水即将抽干那天，水凼村像是过了年，老老小小全聚到水塘周围，想看看水底是怎么个状况。他们在水凼生活了这么久，从来没见过水塘露底。再说，下面还有一具尸体。村里人都想看看那尸体被鱼啃成什么形状了。塘里的水被上抽下排，水底不规则的形状逐渐显露。当天阳光很好，塘泥一块块暴露出来，很快就被晒干，呈暗白色。尸体慢慢就出现了，头扎在淤泥里，脚往上面长，像一株水生植物。水线退下去后，尸体的脚失去浮力，一截一截挂下来。人们正要看个仔细，注意力却被另一件东西拽了过去。

一辆车子，车顶有箱式灯，跑出租的。

人们就奇怪了，说这人明明是钓鱼时栽下去的嘛，难道是坐着车飙下去的？那这死人应该是闷在车里啊。村支书觉悟性高，觉得里面八成有案情，要报警。但他一时记不住号码，问村长，是110还是119？村长也记不清楚，说，随便拨，这弟兄俩是穿连裆裤的。

这次老黄坐的车跑在前头，最先来到水塘。一下车他就忙碌起来，拉警戒。老黄好半天才下到塘底，淤泥齐腰深。他走过去，把车牌抹干净看一看，正是于心亮的3042。

从塘底上来，老黄整个人分成了上下两截，上黑下黄，衣袖上也净是塘泥。小崔叫他赶紧到车上脱下裤子，擦一擦。老黄依然微笑地说，没事，泥敷养颜。他站在一辆车边，目光朝水塘周围逡巡，才发现村里人都在看他，清一色挂着浅笑。老黄往自己身上看，看见两种泾渭分明的色块，觉得自己像一颗胶囊。同时，他心底很惋惜，这一天聚到水塘的人太多。水塘周围的泥土是松软的，若来人不多，现场保留稍好，那么沿塘查找，可能还会看见车辙印。顺着车辙，说不定会寻到另一些有价值的东西。但这么多人，把整个塘围都踩瓦泥似的踩了一遍，留不下什么了。去到村里，老黄把村长、村支书还有水塘承包人邀去一处农家饭庄，问些情况。他问，这水塘，外面知道的人多么？村长说，每个村都有水塘，这口塘又没什么特别。老黄问承包人，来钓鱼的人多不多？承包人说，我这主要是搞养殖。地方太偏了，不好认路进来，只是附近几个村有人来钓鱼。再问，有没有人看见那车开进村？村支书说，村子很少有车进来。这车肯定是半夜开来的，要不然，村里肯定有人看见。一桌饭菜就上来了。几个人撑起筷子，发现老黄不问问题了，有些过意不去。这几句回答就换来一桌酒菜，似乎太占便宜。承包人主动问，黄同志，还有什么要问的？老黄想了想，问他，晚上怎么不守在塘边啊？承包人说，是这么回事。鱼已经收了一茬儿，刚投进鱼苗，撒网也是空的，鱼苗会从网眼漏掉。老黄又问，哪些人知道你刚换苗，晚上没人守塘？承包人回答，村里的人知道，常来钓鱼的也知道。村长也想表现好一点，再答几个问题，但老黄说，行了行了，够多的了。然后举起酒杯敬他们。

老黄和小崔调取水凼村及周边七个村20至50岁男性的户籍资料，统统筛查一遍。八个村在这个年龄段的男人，统共两千人不到。如果小崔数月前面对这工作量，会觉得那简直要把人压垮。前番查帽子把他性情磨了一下，现在他觉着查两千人的资料不算难事。小崔小朱小贵三人各花三天时间，把户籍资料仔细过一遍，先是打五折筛出九百三十人，然后进行二道筛，在这个基础上再打五折，筛至四百四十人左右，拿去让老黄过目。

老黄本打算用五天时间筛人，但第二天一早，他打开的头一份档案，就浮现出一个长鱼泡眼的男人。老黄心里忽然有了抵实感。他清晰记得，是在于心亮灵堂上见到过鱼泡眼。那人当晚把小于叫了出去。鱼泡眼叫皮文海，32岁，离异，有过偷盗入狱的记录。老黄突然想到了小于。他想，是不是因为她是一个残疾人，所以先验地以为她过得比一般人单纯？她与这个命案，有着什么样的联系？老黄思路暂时不很清晰，但心底得来一阵锐痛。

笔架山他爬了许多次，一路上想着小于的刀锋轻轻柔柔割断胡髭的感觉，总有一份轻松惬意。但这一次他步履沉重。秋天已经接近尾声，一路更显静谧。小于的店子没有人。老黄踯躅了一阵正要走，小于却从旁边一间小屋冒出来，招呼老黄。她打开店门拧亮灯。老黄这才想起小崔说过，小于把过日子的东西都搬上山了。刮胡子时，老黄一反常态，睁圆了眼看着小于一脸悲伤的样子。她似乎刚刚哭过，眼窝子肿了。弄完老黄的这张脸，小于又把店门关上了。她现在每天都去特教学校，请一个老师教她标准的手语。不识手语一直是小于的遗憾，老想学一学，却老被这样那样的事耽搁下来。这一段时间，她忽然打定了决心。

星期天，小于照例没开店，去学手语。老黄小崔去到山上，打算在小于理发店对面那幢楼里找一个观察点。花点钱无所谓，小崔上回图省钱去顶楼杂物间找观察点，没什么效果。两人在电线杆上看到了一则招租广告，位置正是在小于理发店对街那幢楼的一单元二层——简直没有比这套房更好的观察角度了。老黄叫小崔拨电话给房主，要求看房。房东是一个秃顶的中年人。他拧开房门，里面还没有打扫过，原住户的东西七零八落散在地上。他说，在你们前面，也是两个男的租我这房。租金够低的了，才他妈一百二，还月付。但这两个家伙拖欠了房钱不说，突然就拍屁股走人了。真晦气。老黄没有搭腔，自顾去到临街那扇窗前，往对面看，果然看得一清二楚。房东又絮叨地说，其实他们走人了也好。我是个正经人，跟那些人渣打交道，委屈得很。他俩什么人？租了我这房，竟然把对街那个哑巴也勾引了过来，天天在我房里搞……对面那个理发的女哑巴，彻头彻尾一个骚货，不要去碰。

哦？老黄的眼睛亮起来，看向秃顶的房东。房东一边说话，一边用鞋把地上的垃圾拢成一堆。老黄觉得这房子已经用不着租了，亮出工作证，并出示皮文海的照片，问他，是不是这个人？房东看了一眼就狂点头。老黄问，另一个人长什么样？房东的眼神呆滞了，说，每次付房钱，都是这个人来交，另一个我不怎么见过。老黄问，不怎么见过还是根本没见过？房东说，从没见过。老黄又问，那你怎么知道有两个人？房东指着皮文海的照片说，这人跟我说的，说他哥也住里面，脾气不好，叫我没事别往这边串门。他保准月底把房钱交到我手上。又问，那他们两个人，到底是谁和理发的小于有接触？房东摇摇头，他确实不知道。

老黄当即就把屋内两间套房搜了一遍。钢渣心思缜密，当然不会留下什么物证。问题出在两个男人都不注意卫生，屋内好久没有打扫了，老黄得以从地面灰尘中提取几枚足印，鞋码超大，从印痕上看，鞋子是新买的，跟抛尸现场的鞋印吻合。皮文海的身高是一米七不到，纵是患了肢端肥大症，也不至于穿这么大的鞋。

哑巴小于这段时间换了一个人似的，学得些哑语，整个人就有了知识女性的气质，还去别人店里做时髦发型。她脸上有了忧郁的气色，久久不见消退。老黄看得出来，小于爱上了一个男人，现在那男人不见了，她才那么忧伤。他记得于心亮说过，小于离不开男人。按于心亮的理解，这分明有点贱，但实际上，因为生理缺陷，小于也必然有着更深的寂寞，需要更大剂量的抚慰。去小于那里套问情况，老黄使了计策。他请来一个懂手语的朋友帮忙，事先合计好了，再一块去到小于店里刮胡须。两张脸都刮净以后，他俩不慌着离开，坐下来和小于有一搭无一搭地闲扯。店上没来别的顾客，小于乐得有人闲聊，再说有个还会手语。她刚学来些手语词汇，憋不住要实际操作一番。但一旦用上规范的手语，她就不能自由发挥了，显得特别用力，嘴巴也咿呀有声。那朋友姓傅，以前在特教学校当老师，揣得透小于的意思。等小于不再生分以后，老傅按照老黄的布置，猜测她的心思，问她，是不是什么朋友离开了，所以开心不起来？小于眼睛刷地就亮了，使劲点头。钢渣走了，她很难碰到一眼就看穿她心思的人。老傅就支招说，你把他的照片拿出来，挂在墙上，每天看几眼，这样就会好受一些。小于还没有学到“照片”这个词。老傅把两手拇指、食指掐了个长方形，左右移了移，她不知道是什么东西。老傅灵机一动，取过台子上的小镜子照照自己，再用手一指镜面，小于就明白了。她告诉老傅，没有那人的照片。她显然觉得老傅的建议能管用，脸上的焦虑纹更深了。老傅早就知道该怎么往下说了，依计告诉小于，另有个朋友会做相片，只要你脑袋里有这个人的模样，他就能把脑袋里的记忆画成相片。小于瞪大了眼，显然不肯信。老傅向她发誓这是真的，而且可以把那个朋友带来。但到时候，小于要免费帮那个朋友理发。小于就爽朗地笑了，觉得这简直不叫交易，而是碰上了活雷锋。

隔一天，老傅就把市局的人像拼图专家带去了。老黄也跟着去，带着装好程序的笔记本电脑。一路上老黄心情沉重。小于太容易被欺骗了，太缺乏自保意识，甚至摆出企盼状恭迎每个乐意来骗她的人。既然这样，何事还要利用她？但有些事容不得老黄想太多。他是个警察，知道命案是怎么回事，有着怎么样的分量。那天风很大，车到山顶，几个人下来，看得见一绺绺疾风的螺旋结构，在地上留下道道痕迹。进到理发店里，发现小于今天特意化妆了。理发店也打扫一番，地面上的发毛胡楂都被扫尽，台子上插着一把驳杂的野花。

拼图专家老吴打开笔记本，老傅就用手语询问起来，先从轮廓问起，然后拓展到每个细部特征。正好小于觉得老黄的脸型和钢渣有点像，就拽着老黄作比，两手忙乱开了。老吴经验老到，以前用手绘，或者用透明像膜粘来粘去，现在有电脑，方便多了。每个细部，无非多种可能。小于强于记忆，多调换几次，小于就看出来哪一种最接近钢渣的模样。钢渣的模样已经刻进她的头脑。程序里一些设置好的图，活脱脱就是从钢渣的脸上取下来的。随着拼图渐趋成型，老黄看见小于的脸纹慢慢展开，难得地有了一丝微笑。

老黄与钢渣只是脸廓长得像，别的部位不像。老黄只在拼图开始时帮一会忙，后面就不管用了。他走出理发店，信步往更高处踱去，抽烟。天开始黑了起来，他看见风在加大。他叫自己不要太愧疚，这毕竟是工作。他想，小于喜欢那个男人，是不是遭到了于心亮的反对，甚至威胁？杀人动机，也就这么捋出来了。

里面忽然传来一声闷响——其实是小于的尖叫，她尖叫时声音也很沉闷。老黄明白，那人的模样拼好了。在小于看来，这拼成的头像简直就是拿相机照钢渣本人拍下来的。

又一次专项治理的行动布置下来。每年，市局都要来几次大动作，整肃不法之徒，展示市局整体作战能力。这次行动打击的面，除了传统的黄赌毒非，侧重点是年内呈抬头趋势的两抢。所有警员统一部署，跨区调拨。老黄负责的这个办案组，只好暂时中断手头的工作。小崔觉得很不爽，工作失去了连贯性，让人烦恼。老黄只哂然一笑，说，等有人把你叫作老崔的时候，你就晓得，好多事根本改变不了。改变不了的事，不值得烦恼。老黄把皮文海和另一个嫌犯的头像复印很多份，正好向市局申请，借这次行动在全市范围内查找这两人。老黄跟小崔说，反过来想想，这其实也是机会。老黄有这样的能耐，以变应变，韧性十足地把自己想做的事坚持下去。

老黄小崔被抽调到雨田区，那里远离钢厂，高档住宅小区密集。晚上，要轮班巡夜。把警车撂在路边，老黄小崔便在雨田区巷道里四处游走，说说话，同时也不忘了拿眼光朝过往行人身上罩去。老黄眼皮垂塌，眼仁子朝里凹，老像是没睡醒。小崔和他待久了，知道那是表象。老黄目光厉害，说像照妖镜则太过，说像显微镜那就毫不夸张。两人巡了好几条街弄，小崔问，看出来哪些像是抢匪么？老黄摇了摇头说，看不出来，他们抢人的时候我才看得出来。过一阵回到警车边，两人接到指挥台的命令，赶紧去往雨城大酒店抓嫖客。抓嫖这事一直有些模棱两可，基本原则是不举不抓。要是接了举报不去抓，到时候被指控不作为，真的是很划不来。于是只好去抓一抓。小崔很兴奋，他觉得抓嫖比打击两抢来劲多了。

抓嫖这种事没有太多悬念，可以想象，门被重脚踹开以后，进到大厅举枪暴喝一声，场面马上一片狼藉，伴以声声尖叫；一帮警察再踹开一个个老鼠洞一样的小包间，里面两只蠕动的大白鼠马上换了种喘法，浑身筛抖。小崔自小就是好孩子好学生，被五讲四美泡大的。只有他知道，骨子里也有恶作一把的心思，正好，恶作的心思可以借抓嫖名正言顺地发泄出来。刨包间时小崔拿出百米冲刺的速度，刨得比任何人都多。收获还是蛮大的。警察把刨出来的男男女女拨拉开，分作两堆，在大厅里各自靠着一侧的墙蹲下，仿佛在集体撇大条。

举报的是雨城大酒店旁边那栋楼的一个普通女住户。她发现十来岁的儿子老喜欢趴在阳台上朝那边张望。她也张望了一番，原来是很多包间的布帘子不愿拉下来，里面乱七八糟的事，就像是在给自己儿子放电影。她担心这会对儿子造成不良影响，去跟雨城大酒店的经理打商量，说帘子要拉上才是。但顾客有曝光癖，不喜欢拉帘子，经理也没办法。眼下房价飞涨，女住户没有能力学孟母三迁，只好拨个电话把雨城举报了。

刘副局匆匆地赶来，隔老远就冲老黄说，误会，误会，这是我一个熟人开的……老黄慵懒地看着他，说，呃，是吗？他知道往下要做的事，只能是卖个人情放人。他没必要在这枝节问题上和刘副局拗。刘副局着便装，腋下挟着皮包。眼看事情又摆平了，刘副局吐一口浊气，往左侧那一堆女人瞟去。正好一个女人抬起头，把刘副局看了个仔细。她嘴巴一咧，当场举报说，警察叔叔哎，这老东西老来嫖我，我认得，我举报。大厅里本来嘈杂，突然就静了下来。在场的警察听得分明，却都怀疑自己听错了。那女人见警察都盯着她，又嘟哝说，本来嘛，他左边屁股上有火钳烫的疤，像个等号。刘副局的脸刷地就青了，疾步向女人靠去。老黄来不及阻拦，刘副局飞起一脚把女人狠狠地踹在墙皮上。女人嗓子眼一堵，想要惨叫，一口气却憋了有七八秒钟。老黄这才揪住刘副局。刘副局另一只脚已经蓄了势，指不定揣在女人哪块地方。他嘴角抽搐地吼着，臭婊子，晓得我是谁？女人缓过神，扑过去把刘副局咬了一口。刘副局还想动手，才发现老黄力气蛮大，把他两只手箝死了。其实，小崔也早站在一边，发现老黄一人够了，就没动手。小崔暗自说，这下好了，拔呀拔呀拔萝卜，拔了一堆小萝卜，竟带出一个大萝卜。

过不了两天，刘副局完好无损地出来了，雨城倒是没有保住，停业整顿。老黄再带着小崔出去巡夜时，发觉小崔老打不起精神，盐腌过一样。老黄只好安慰他说，年纪轻轻，你怕个鸟？老刘不会把你怎么样。

这天天还没黑，老黄和小崔着便装逡巡在雨田区老城厢一带密如蛛网的街巷里。徜徉其中，老黄有一种从容，慢慢地抽烟，慢慢踱开步子。路边有一处厕所，小崔便意突然来临了。他问老黄有手纸没有。老黄把除了钱以外所有算是纸的东西都掏给他，并指一指前面一条岔道说，我去那边等你。岔道里有一家杂货店，店主很老，货物摆得很零乱。到得店前，老黄突然想给女儿打个电话，他记起这一天是女儿生日。杂货店的电话接不通，但计价器照跳不误。老黄无奈地付了八角钱。老黄只有掏出自己的手机拨号，一扭头看见这巷子更深的地方钻出一条汉子，长了一对注册商标似的鱼泡眼。老黄余光一瞥，已经确认那人是谁。他这才发现裤腰上没别小手枪——以往他都别着的，一直没摸出来用过，以致今早上偷了懒。他朝鱼泡眼皮文海走去。皮文海武高武大，身体板实，没有手枪光靠两只手怕是难将他扭住。老黄来不及多想，看看手里拽着的诺基亚，没有一斤也有八两重，坚固耐用。原装外壳早就漆皮剥落，他看着几多眼烦，前不久花三十块钱换成个不锈钢的壳。挨鱼泡眼越来越近了。对方显然没有察觉，走路还吹口哨。老黄没拨号，嘴里却煞有介事地与空气嘘寒问暖。

两人擦身而过时，老黄突然起势，大叫一声皮文海。那人果然循声看过来。老黄扬起手机，猛然砸向对方脑袋——这时候，只要拽着比拳头硬的东西，就尽量要省下拳头。老黄本想砸致人昏厥的穴位，但毕竟年岁不饶人，砸偏了几分。他赶紧往前欺一步，扬起手机再砸，这次是用手机屁股敲去的，力道用得足够大，皮文海应声倒在地上。

小崔循声赶来，老远冲着老黄喊，怎么又跟人打架了？老黄扭头一笑，说你看你看，地上趴着的是谁？小崔认出了那个人。老黄的老手机也光荣散架了，铁壳脱落，部件还在地上蹦跶着。老黄不急于把皮绊扭上警车，而是把小崔的手机拿过来拨叫指挥台，要求马上调人手封锁、排查这片街区。他盼着拔出萝卜带出泥，两个家伙一齐拿下。皮绊在地上软成一团。将他拍醒了，老黄拿出钢渣的头像问他话。皮绊瞅了两眼，又装昏迷，不肯说话。

老黄安排小崔继续盘问皮文海，自己则抬起头往周围看看。这一带都是私房，两层楼或者三层楼，贴着惨白的瓷砖。在瓷砖映衬下，零乱的电杆和电线暴露出来。局里增援的人很快过来了，老黄当即进行布置，每人拽一张钢渣的模拟画像，一户一户排查。警察们早把钢渣的模样烂熟于心，只要钢渣一小片头皮进入视域，肯定能顺势捋出全须全尾。把整个街区篦了数遍，也没有找到钢渣这个人。天已黑下了，皮绊被扔进车里。隔着不锈钢隔栅，皮绊依然松散地摊在车座上。老黄看着被胡同一一吐出来的同事们，蔫头耷脑，知道今天是逮不了那个人了。再一扭头，往车里睨去，皮绊嘴角似乎挂着嘲笑。

钢渣老是不能把那颗炸弹彻底造好，但炸弹的雏形已经有了，显现出能炸塌一整栋楼的凶相。在雨城区，为了省钱，钢渣和皮绊共同租用一间房。皮绊对桌子上那颗铁疙瘩过敏。他老问，钢脑壳，你那炸弹不会抽风吧？钢渣笑了，向他保证，这铁疙瘩虽然差几步没完成，但很安全，用香烟戳都戳不燃。皮绊当时松了一口气，但晚上睡觉以后噩梦连连，睡不踏实。

那天一早，皮绊爬起来就给钢渣出主意说，钢脑壳，你还是到郊区租农民房，一百块钱能租上三间平房，前带院后带园，你在那里搞核爆试验都没人管。钢渣把脑袋扬过来问他，你怕了。皮绊承认说，是，老睡不着。钢渣看看皮绊，这几日下来，他两眼熬得外黑内红，仿佛是带聚能环那种电池的屁股。钢渣正想着换个地方。出租屋太过狭窄，光线也暗，他干起活来感到不爽。郊区有很多人去楼空的农民房。农民举家出去打工了，房子让亲戚看管，稍微把一点钱，就能租下。他租了一套，把炸弹拿到里面。关于引爆系统，他怎么弄都不称心，有一两个细节和自己的构想有差距。他这才发现，自己竟然是个精益求精的人。

那天，他在郊区农民房忙活一阵，挤专线车去到雨田区。走进巷子，天已经黑了，他闻见一股烂鱼的味道。烂鱼的味道揉烂在巷子发浊的空气里。钢渣脑壳皮一紧，感受到一种不祥。他赶紧抽身往回走，快上到马路时，看见一长溜警车嘶鸣而过，有些车亮着顶灯，有些车则很安详。那一刹，他准确地猜到，皮绊肯定暴露了，被扔进刚才过去的某辆警车里。

钢渣缓过神，慢慢才记起来，两人的钱都攥在皮绊手里。平时，他把皮绊当管家婆用，省事，放心。但现在，钢渣暗自叫苦。他把四个兜里的钱都掏出来看看，数了两至三遍，还是凑不足十块钱。他返回郊区睡了一夜，次日用一个蛇皮袋把未成型的炸弹装好，再和另一个装了衣物用具的蛇皮袋绑在一起，挂在脖子上，看着像褡裢。他想，我也不能在这农民房住了。皮绊虽然不知道我具体租了哪间，却知道大体上在这一片。谁知道他们撬不撬得开他的嘴？再次进到城里，钢渣忽然很想见小于一面。他搞不清楚，有多长时间没见到可爱的小哑巴了。想起她，钢渣心头就一漾一漾地波动起来。钢渣花一块钱搭七路车，售票员让他为两只蛇皮袋加买一张票。他争吵半天，才省下一块钱，看看车内的人，心情烦躁起来。他想，要是炸弹上了弦，不如现在就拨响它。妈的这日子过得，太没有人样了。想到小于，他才宁静下来。到了笔架山，隔着老远，钢渣手搭阴棚往小于的店子里张望。那店门一直是关着的。

那一把零票，毕竟不经用，即使天天就凉水吃馒头，第三天一早也花光了。钢渣想着兜里没钱，心里很是发虚。他甚至想，这颗炸弹，如果谁要买，说不定能值几百块钱哩。

这天，快中午了，钢渣晃荡着来到东台区。以前他没来过这片区域，陌生，也就多有几分安全感。有一家超市刚开张营业，铜管乐队吹吹打打的声音把钢渣从老远的地方拽了过去。人像潮水一样往新开张的超市里涌。钢渣被前后左右的人挟着往超市里去，超市拱形大门，像一张豁了牙的嘴。他忽然想起皮绊说过，超市新开张，有很多东西可以品尝，脸皮厚点，完全可以混一顿饱食。钢渣正要走上传送带，有个保安走过来把他拦住，并说，请你把包放进贮物柜。钢渣只有照办。但贮物柜小了几寸，钢渣没法把蛇皮袋塞进去。那保安跟过来，想要帮钢渣一把，试了几个角度也塞不进去。保安说，那你摆在墙角，我帮你看着。钢渣不愿意，他挎着蛇皮袋要走。那保安警觉地拽住蛇皮袋，拍拍未成型的炸弹，问那是什么。钢渣晃晃脑袋，微笑着告诉小保安，没什么，只不过是一颗炸弹而已。

小保安还来不及惊愕，钢渣就已把他摁倒在地，屈起腿压住。他迅速从蛇皮袋里扯出两股线，一股缠在左手拇指上，一股缠在左手中指上。然后他把小保安提起来，用右胳膊将其挟紧，作为人质。超市顿时乱作一团，所有被吸进来的人都被吐了出去。钢渣奇怪地看着这有如退潮的景象，难以相信，这竟是由自己引发的。人退出去以后，地上丢弃着零乱的物品，包括吃食。钢渣尽量放平目光，不往地上看。看见吃食，他肚子就会蠕动得抽搐起来。钢渣想，必须动手了，要不然再饿上几顿，连动手的力气都没有了。

本来，东台区汇佳超市的突发案件用不着老黄插手。那脑门溜光的家伙挟持一个人质，跟围过来的警察讨价还价。他开列出来的条件之一，就是要把前几天拎进公安局的皮绊放出来。那一圈警察没反应过来，皮绊是谁？当天，老黄依然逡巡在雨田区的街巷，听说东台区有案子了，脑子里就隐隐地有预感。打电话过去问熟人，熟人说，那案犯要用人质交换一个叫皮绊的人。听到皮绊这名字，老黄就活泛了。小崔问，怎么啦？他分明看见老黄的眼底闪过一丝贼亮的精光。老黄说，皮绊就是皮文海。记得了么？小崔说，什么也不要说了，上车。

进到超市的厅里，老黄终于看到那人。那人也一眼瞥见了老黄。老黄进来以后，钢渣就感受到自门洞处卷进来一股锐利的风。他眼前是呈弧状排列的一溜绿胶鞋，他的目光得越过这些人，才看得见最后踅进来的那个老胶鞋。钢渣用凶悍的眼神示意挡在他和老黄之间的那个年轻胶鞋挪一边去。他只想跟老黄说话。他说，我认得你。你经常去笔架山小于那里刮胡子。老黄回应说，我也认得你。钢渣说，把我的兄弟放了。你知道他是谁。老黄说，我当然知道，皮文海是我抓到的。钢渣恨恨地说，他妈的，果然是你。

没有回答，只有老黄一贯以来似看非看的眼神。他本该盯着钢渣，然后两人的眼神形成对峙——钢渣为此做好了心理准备，一定要用眼神抢先压制住这老胶鞋，要不然自己很快就会崩溃、完蛋。但老黄显得不大集中得了精力，心有旁骛，目光落在一些莫名其妙的角落。

小伙子，你的炸弹有几斤重？老黄冷不防抛去一句话。钢渣一愣，他没将这炸弹放在秤盘上称过。老黄笑了，说，瓤子里灌几斤药，壳子用几斤钢材，想必你都没有称过？钢渣老半天才说，等下弄响了，你不要捂耳朵。小保安仍在瑟瑟发抖。钢渣想，要是老这么抖下去，自己迟早会跟着抖起来。那是很糟糕的事。他呵斥道，别抖了，你他妈别抖了。小保安非常无奈。这分儿上了，他不想拂逆这光头大爷的意思，但身体就是不管不顾地抖个不停。

老黄看了看四周，他认为大厅没必要站这么多警察。他点了几个面相年轻的，要他们守在外面。那几个警察心领神会地走出去。接下来，老黄摸出一匣香烟，不但自己抽起来，还把烟凌空扔去，让别的警察接住，一齐吞吐烟雾。有那么一两个人，手僵了，没接住烟。

小保安不抖了。他抖了好大一阵，已经抖不动了。但钢渣仍在咆哮着说，别抖了，猪嬲的哎不要再抖了！说完话，他才意识到人家并没有抖，是自己脚底下传来细密轻微的战栗。一抬头，他看见那老胶鞋狡黠的微笑。老胶鞋叼着烟，满嘴烟牙充斥着揶揄的意味。钢渣觉得不对劲，厉声说，你往后退。别以为我没看见，你他妈往前跨了两步。老黄说，你看见鬼打架了，我本来就站在这里。钢渣有些发懵，进而也怀疑自己看错了。他暗自问，老胶鞋原先是站得这么近吗？这时他清晰地看见，老胶鞋又往前跨了一脚。他眨了眨眼，暗自说，我没看花眼，这老胶鞋……

老黄注意到光头的眼神出现恍惚。他左手已经下意识地擎高了，整个暴露出来。老黄看见一股红线缠在这人左手的拇指上，而绿线缠在同一只手的中指上。他显然没有精心准备好，两股线都缠绕得粗糙，而且线头剥除漆皮露出金属线的部分也特别短。这使老黄的信心无端增添几分。老黄突然发力，猛蹿过去。他的眼里，只有光头的那只左手。挨近了，老黄手臂陡然一长，正好捏住那只左手的虎口。老黄用力一捏，听见对方手骨驳动的响声。钢渣的手掌很厚实，也蓄满了力气，老黄差点没捏住。

钢渣错就错在低估了这老胶鞋的速度，还有他的握力。老黄满嘴烟牙误导了钢渣。钢渣满以为这老胶鞋除

板儿爷 / 2008年 / 136cm×68cm

皇城根儿下乐子多 / 2008年 / 68cm × 68cm

了一颗脑袋还能用，其他的器官都开始生锈了。他满以为老黄会张开黑洞洞的嘴跟他罗列一通做人的道理，告诫他坦白从宽抗拒从严。没想到，这半老不老的老头竟然先发制人，卖弄起速度来。钢渣发现老胶鞋捏住自己的手了，来不及多想，用力要让两股线头相碰。钢渣头皮一紧，打算在一声巨响中与这鬼一样的老胶鞋同归于尽，化为齑粉。

这老胶鞋力气大得吓人，一只看似干枯的手，却像生铁铸的。那一刹，老黄也惊出一头冷汗，分明感觉到光头手劲更大。幸好他挟持小保安耗去不少体力，而且早上似乎没吃饱饭。

别的几个警察手里还夹着烟，烟卷正燃到一半。他们也没想到，右安区过来的足痕专家老黄性子竟比年轻人还火爆，在年轻人眼皮底下玩以快制快。这好像，玩得也过于玄乎了，不符合刑侦课教案的教导啊。一众警察赶紧把烟扔掉，把枪口杵向钢渣那枚锃亮的光头。

把钢渣带到市局，扔进审讯室，他整个人立时有些委顿，老半天才迈开眼皮往对面墙上睃了一眼。审讯室的墙壁从来都了无新意，雷打不动是那八个字。老黄正咂着嘴皮要说话，钢渣却率先开口了，问，我会死吗？老黄不想骗他，就说，你心里清楚。你手上有人命。钢渣觉得老胶鞋也是个痛快人。只有痛快的人，眼神才会这样毒辣。挨一支烟的工夫，钢渣就承认了杀于心亮的事。这反倒搞得老黄大是意外。杀人的事呵！他原本憋足了劲，打算和这个光头鏖战几天几夜，抽丝剥茧，刨根问底。

为什么要杀他？

……本不想杀他。起初我就不打算抢司机。开出租的看着光鲜，其实也他妈穷命。但我没条件抢银行，抢司机来得容易。钢渣哑起了烟，说话就放慢了。他看看眼前这老胶鞋，忽然想起来，在小于的店子里第一次见到他，很直接就感受到一种威胁。很少有人能够传递给钢渣这样的感觉。往下钢渣又说，那晚上我们说要去大碇，好几个司机都不接生意。也是的，要是我开车，见两个男的深更半夜跑这么远，也不会接生意。……实在太穷了，不瞒你说，我差点就去捡破烂了，又放不下这张脸。这么穷的光景，我他妈偏偏和一个女人搞上了。那个女人等着钱用……你也认识那女人。

老黄没有说话，也不知道他为什么讲得这么详细。他以前见过的杀人犯，逻辑往往有些紊乱，说话总是磕磕巴巴。

钢渣又说，本来也不知道要撞上哪个倒霉鬼。司机都太警醒，我跟皮绊那晚没什么指望了，站在三岔口抽烟，抽完了就准备回去睡觉。这时候羚羊3042主动开过来揽生意，问我们是不是要去大碇，还说不打表五十块钱搞定。我看他的驾驶室，没有装隔栅，估计这人是新手，家里缺钱，见到生意就捡。既然他送上门了，我们就坐进去。我没看出来他是小于的哥哥，他俩长得不像。他妈的，既然是兄妹，就应该长得像一点。这不是开玩笑的事。

钢渣要了一支烟，抽了起来。他又说，开到半路上，我说你把钱拿出来，不为难你。这家伙竟然当我是开玩笑，骂粗话，说他没带钱。我受不了这个人，他有些呆，老以为我们是在跟他寻开心。于是我照他左脸砸一拳头。他鼻子破了，往外面喷血，这才晓得我不是开玩笑。他一脚踩死刹车想跟我打架。他身架子虽大，却没真正打过架。他操起水杯想砸我，我脑袋一偏，那块车玻璃就砸碎了。我搰他几拳，他就晓得搞不赢我。在他摆钱的地方，我只抠出三百块不到。我叫他继续往大碇开。他一路上老是说，把钱留一点。我有些烦躁，要是他有一千块钱，我说不定会给他留一百。但他只有两百多，我们已经很不划算了……

为什么要杀他？你已经抢到钱了。

……本不想杀他，我俩脸上都黏了胡须，就是为了不杀人。开着车又跑了一阵，我才发现帽子丢了，应该是从车窗掉出去的。我头皮有几道疤，脑门顶有个胎记，朱砂色，还圆巴巴的——我名字就叫邹官印。我落生时，我老子以为我将来会当官。可他也不想想，他只是个挑粪淤菜的农民，我凭什么去当官？有的路段灯特别亮，像白天一样。我头皮上的这些记号，想必司机都看见了。要是我长了头发，那还好点，但我偏偏刚刮的青头皮，帽子又弄丢了。当时我心里很乱，觉得还是不留活口为好。我叫他停车，拿刀在他脖子上抹一下，他就死了。皮绊没杀人，人是我杀的。

然后呢？

司机的帽子和我那顶差不多。我拿过来看看，真他妈是完全一样的，很高兴，就罩在自己头上。哑巴给我刮的青头皮，然后给我买了帽子。要是我丢了帽子，她说不定会怪我。

原来是这样。老黄心里暗自揣度，是不是小于给钢渣买了帽子以后，觉得不错，回头又买了一顶一模一样的？给情人和亲哥哥买相同的帽子，是否暗合着小于某种古怪的心思？一刹那，他非常清晰地记起了小于的模样，还有那种期盼眼神。老黄又问，你抢他的那顶帽子呢？钢渣说，洗了，晾竹竿上，还没收。

为什么要洗？

毕竟是死人戴过的，想着有点晦气，洗衣服时就顺便洗了。

话问完，老黄转身要出去，钢渣却把他叫住。这个粗糙的家伙突然声调柔和地问，老哥，现在离过年还有多久？老黄掐指算算，告诉他说，两个多月。想到过年了？你放心，搭帮审判程序有一大堆，你能挨过这个年。钢渣认真地说，老哥，能不能帮我一个忙？老黄犹豫了一会儿，说，你先说什么事。

我答应哑巴，年三十那天晚上和她一起过。但你晓得，我去不了了。他妈的，我答应过她。到时候你能不能买点讨女人喜欢的东西，替我去看她一眼？就在她店子里。这个女人有点缺心眼，那一晚要是不见我去，急得疯掉了也不一定。

老黄看着钢渣，好久拿不定主意。最后他说，到时再看吧。

技术鉴定科的人事后说，那炸弹内部构造非常精巧，专家水平，但引爆装置的导线并没有接好，就像地雷没有挂弦，只能拿来吓吓小孩。老黄即便不捏死钢渣的手，炸弹照样点不燃。领导知道以后不以为然，说当时老黄可不知道那炸弹竟是个哑巴。老黄听得一肚子晦气，在心里给自己打了折扣。既然做出了英勇行径，他自然希望那时那地，险情是足斤足两的。

破下于心亮的命案以后的那个把月还算平静，老黄闲了下来，但没往笔架山上去。要理发或者刮胡须，他另找一家店面，手艺也说得过去。他害怕见到小于。

十二月底的某天，接到一个老头举报，说有人在卖假证。问是什么假证，那老头说，蛮奇怪的，我带得有一本样品。说着他从一个塑料袋里掏出一个红皮本。老黄把红皮本拿过来，封面有几个烫金字。上面一行呈弧形排列，字体稍小，狭长：中华人民共和国国务院特赦办；下面垂着五个大几号的宋体字：特别赦免证。

都什么乱七八糟？老黄被搞懵了。这连假证也够不上，纯粹臆造品嘛。打开里面看，错别字连篇。老头说他昨天刚买的，花一千八百八。卖证的人说这是B证，大罪从轻小罪从免。要是买了A证，得要两千八百八，那证作用就更大，死罪都可以从无。老头一早拿了这证去市监狱，满心欢喜地想把自己儿子接出来。他儿子按算还要服刑两年，这B证一买，算下来减一天刑只合三块钱不到，捡了天大的便宜。但狱警说这证没用，还派个车把老头直接送右安区分局，督促他报案。分局当即出警办这事。老头记性不太牢靠，绕一个多小时，终于确认地方了。老黄和另两个警察早换了便装，从楼道上去，拍了拍门。里面是外地佬的声音，谁？老黄说，介绍来的，业务。一个家伙大咧咧地把门敞开了，还满脸堆着笑地说，欢迎，里面坐。老黄真想点拨他说，既然愣充国务院的，级别那么高，就应该扁着脸，态度适当地冷漠。三个便衣都揣着看把戏的心思进到里面，打算先听几个骗子天花乱坠吹一番，然后动手抓人。

没想到里面有个熟人。哑巴小于静静地坐在床沿的一张矮凳上，正看着一个女骗子指手画脚。小于瞥见了老黄，显得很紧张，做出一串手势。里面的一帮人看明白了，哑巴说来人是警察。三个便衣只得把看戏的心思掐灭，当即动手，把屋里两男一女三个骗子全部铐上。

那一屋人全被带进了分局。很快，老黄又把小于带出来，放她走。小于裤兜里装了一沓老头票。裤兜太浅，老黄忍不住提醒她把钱藏好。只差个把月就要过年了，满街的扒手急疯了似的作案。小于把钱往里面掖了掖，怨毒地盯老黄一眼，走了。

老黄站在原地，虽然很冷，却不急着进去。他觉得小于其实蛮聪明，很多事都明白。比如刚才，那女骗子吹得再玄虚，小于似乎不信——她脸上毫无喜悦。但看情况，她仍打算扔几千块钱买这注定没用的A证。她心里是怎么想的呢？这当口，老黄又记起了钢渣说的那番话。年夜眼看着近了，老黄倏忽紧张起来。

其后几天，刘副局调离分局，去到省城。临行前，他请同事一块去吃馆子。老黄不想去，但不好不去，刘副局要走了，换了个人似的，邀请谁都显得万分真挚，让人难以推托。当晚果不其然喝多了。老黄头一次看到刘副局喝醉酒的德行，跟街上荡来荡去的小青年差不多，哭丧着脸，一个一个地找碰杯，并且说，对不起了，兄弟！喝了酒，人就千姿百态了。刘副局跟每个人都说了对不起，还不过瘾，又站在饭厅中央说，现在光吃饭不管用，明天正好休息，我弄辆车，大家找个地方狠狠地玩……去哪里，刘副局一时没想明白，他还残留有几分清醒，晓得不能带同志们去搞异性按摩。沉默一阵，忽然有个人说，去织锦洞怎样？看了个报道，说织锦洞是全国最好的洞，二十几位洞穴专家评出来的。刘副局拿眼光找说话的人，没找出来，嘴里说，洞穴专家？比我刘某人还专吗？那洞有多远？那人说，大概四个小时。刘副局说，行，就去那里，明天我请兄弟们去逛仙人洞。那人纠正说，刘副局，那叫织锦洞。刘副局大手一挥，说，差不多，反正都是洞。

本来大伙也没当真，以为刘副局说酒话。次日一早，刘副局叫人逐家挂电话，说是紧急集合。去到分局，一辆豪华大巴已经停在门口了。老黄和小崔坐一排，感觉有点堵，相互觑了几眼。一说话，不可避免地提到于心亮。上次也是有心去看洞，于心亮带一大帮子人陪同，搅了局。回头想想，那事情还近在眼前；游洞不成，于心亮抱愧的模样也历历在目。这一次，朗山到岱城的高速公路修好了，车程几乎减半，只三个多小时，车就到了织锦洞前。老黄小崔逛洞时却把心情全丢了，纯粹是那个导游妹子的跟班。刘副局心情不错，从洞里出来，他又拉了这一车人去到更远的一个县份，请大伙儿去吃当地有名的心肺汤。那天本可以早点回来，但一顿心肺汤磨蹭了几个小时，回到钢城，又是半夜。众人都说饿，得找一家店子吃碗米粉。好不容易找到一家店。刘副局和老黄对面坐着，一个人捧一大碗米粉，上面铺了一层酱牛肉。一到晚上，人就特别有胃口。刘副局刚扒了几筷子，忽然说尿憋，赶紧走了出去。街灯全熄了，大巴银灰的外壳微微亮着。刘副局憋得不行却找不见厕所，就绕到车后头搞事。

外面风声大了，漫天盖地，像是飘来猛兽的嘶吼。老黄吃米粉时仿佛听到一声闷哼，但没有留意。在巨大的风声里，别的声音夹杂进来，容易让人误以为是幻听。老黄把碗里的油汤喝尽，才发现刘副局一直没有回来。抬头看看，别的人自顾咂着汤水。冬夜里喝一碗热腾腾的牛肉汤，会让人整挂大肠都油腻起来，暖和起来。老黄问他们，刘副局呢？大伙儿这才发现少了一个人。老黄明明听刘副局说是尿憋，难道却在撇大条？

老黄走出小店，大声地冲车的方向大叫刘副局，连叫几声，没见回应。老黄脑侧的青筋猛地一抽，预感到出事了。绕到大巴后头，刘副局果然躺倒在地上，看似喝醉酒的姿态，其实胸窝子上插着一把刀，刀身深入，只剩刀柄挂在外头。老黄一惊，很快意识到要保护现场，没有立即叫人。他独自蹑手蹑脚走过去，探一探老刘的鼻息，确定他已经死僵了。

这件案子顺理成章地由老黄负责侦破。有了案子，时间就会提速。年前那一个月，老黄是连轴转忙过来的。女儿打个电话，提醒他年夜在即。老黄只有一个女儿，在老远的城市，是否嫁人了，老黄都搞不清楚。她说今年又不能回来陪他了，有公务。老黄也乐得清闲。

这么多年了，他看得清白，女儿回来小住几日，也是于事无补，离开以后徒增挂念。

年三十一早起来，老黄就想起钢渣说过的话。其实他早已在这天的剥皮日历上记下一笔：晚上去笔架山看小于。他上街，不晓得买什么东西能讨小于喜欢，就成捆地买烟花，不要放响的，而是要火焰喷起来老高的，散开了以后颜色绚烂的。晚九点，天色一片漆黑，他踱着步往笔架山上去。有些憋不住的小孩偶尔燃起一颗烟花，绽开后把夜色撕裂一块，旋即消失于夜空。一路上山，越往上人户越少，越显得冷清。路灯有的亮有的不亮，亮着的说不定哪时又暗了。他尽量延宕，不敢马上见到小于。风声越来越大了，他把领子竖起来。这时他开始怀疑，自己有没有勇气走进小于的店里，跟她共同度过这个年夜。她又会是什么样的态度？老黄甚至有几分恨钢渣，把这样的事情交到自己手里。走得近了，他便知道钢渣和小于的约定像铜浇铁铸的一样牢靠。小于果然在，简陋的店面这一夜忽然挂起一长溜灯笼，迎风晃荡。山顶太黑，风太大，忽然露出一间挂满灯笼的小屋，让人感到格外刺眼。

离小于的店面还有百十米远，老黄就收了脚，靠着一根电杆搓了搓手。他往那边望一望，影影绰绰，哪看得见人？点烟点了好几次，才点燃。风太大了。老黄弄不清自己能在这电杆下挺多久，更弄不清自己最终会不会走进那间迸着暖光的理发店。一岔神，老黄想起手头正在办理的案子——本来他以为刘副局的案子应该不难办，现场保留得很好，还找到一溜清晰的鞋印。但事情常常出离他的想象，一个月下来，竟毫无进展。刘副局生前瓜葛太多，以致他死后被怀疑的对象太多，揪花生似的一揪就拖出一大串，反而没能圈定重点疑凶。

这个冬夜，老黄身体内突然蹿过一阵衰老疲惫之感。他在冷风中用力抽着烟，火头燃得飞快。此时此刻，老黄开始对这件案子失去信心。像他这样的老警察，很少有这么灰心的时候。他往不远处亮着灯笼的屋子看了一阵，之后眼光向上攀爬，戳向天空。有些微微泛白的光在暗空中无声游走，这景象使“时间”的概念在老黄脑袋中具体起来，倏忽有了形状。一晃神，脑袋里仍是摆着那案子。老黄心里明白，破不了的滞案其实蛮多。天网恢恢疏而不漏，那是源于人们的美好愿望。当然，疏而不漏，有点像英语中的一般将来时——现在破不了，将来未必破不了。但老黄在这一行干得太久了，他知道，把事情推诿给时间，其实非常油滑，话没说死，等于什么也没有说。因为，时间是无限的。时间还将无限下去。

树我于无何有之乡

2014年，我经历一次调动，来到一所大学。这感觉很荒诞，我两次高考落榜，没读过高校，自然没想到进入高校工作。但也不奇怪，因为写作，我会碰到一些荒诞的事，我提醒自己要适应，这是写作给予我的“可能性”。我是为“可能性”而写作，因此，“可能性”偶尔也反作用于我。就如沈从文所说：我怎样创造生活，生活怎样创造我。

进入大学工作，想来也是出于自己的一份虚荣。因为学历低，写作之初，有位老师既帮我改文章，也亲切地叫我“小文盲”，有勉励之意。对于绰号，我笑着应对，心里却不想戴上这顶帽子，虽然学历低，我自信看过的书有不少，十岁起每天必翻书，从未间断，而且记性好，日积月累，肚子里还算有货。人缺什么就想什么，有了去大学工作的机会，我当然不会放过。事实上，从世俗眼光来看，在我所居的小县城，当年获得鲁迅文学奖，从无业游民变成文联创作员，只是一时的新闻；而这次调动，被别人看成真正的成功。小县城就是这么个古怪的地方，人们总是不相信身边的人，只相信自己一无所知的远方。

事实上，调入一所大学，对我来说，只是换一个地方写作。我挂在一个杂志社，只承担微乎其微的组稿任务，不须上课，除一个主管领导，我无须和任何老师任何学生打交道。转眼来这里一两年，我并没和这个学校发生什么关系，走在空阔的校园，用不着跟任何人打招呼。有时候我感觉自己来到一片荒野，寂寞之余，又是无边的自在。我偶尔也问自己，这个大学，是否是自己该来的地方？

杂志所属的学院刚搬入新楼，办公室相当充足，富有余裕，我也搭帮分到一间。以前，我都是在家里写作，家人的打扰在所难免，现在有了办公室，我体会到截然不同的写作状态，泡一壶茶，买一份便当，关上门在办公室干一整天。偶尔，走到窗前，看着下面操坪青春飞扬的脸孔，看着他们的欢悦，我更强烈地意识到，我并不属于这里，只是在这里。慢慢地，我喜欢自己的办公室，它让我充分地体会到私人空间，老婆也不得冒犯。我中午会在椅子上打个短盹，睁开眼，会有一种恍惚。这里过于宁静，拉长了时间，有时候睡个把小时，醒来总以为是另一天，看着窗外午后阳光棱角分明，会有种不真实。某天，在这种不真实的状态中，我又问自己，你不断地写，不断地寻求可能性，也暗中期待，写作将自己带入一种意想不到的地方……转眼，你四十岁，不应有惑，这时候，你扪心自问，今天所得的一切，是不是你原本想要的？

顺着这思路，一直浮想，脑袋里忽然有了亮光。我想，作为一个写小说的人，在哪里都是观察，都是写作；任何地方的人，有心去看，留意观察，都比任何雕塑可爱。既然如此，哪里又是我该去或不该去的地方？曾经，我不想把自己看作一块废物，于是，便把自己看作一株樗树。而现在，一个不属于自己却待下来的地方，是否就是我的无何有之乡？樗树不是好木料，无何有之乡也不算好地方，但两者结合，却是心有所归，身有所寄，彼此安好。

于是，我也终于跟自己说，放下你伪装的低调，适当时候，纵容自己得意一下，自嗨一把，又何妨？一直能将小说写下去，不就在于，写小说的过程中，总能让人小小得意一下么？

我喜欢自己的办公室，密闭，拉上窗帘，四壁惨白。在这样的环境，时间一久，我眼里总是隐约有所幻觉，正前的墙壁有如白屏，你想看什么，上面就会上演什么，侧耳一听，也有声音。我一直有这奇异的幻觉，记忆中最深刻的，是十一岁读小学四年级，一个下午，独自待在教室里，门锁紧，走不出去。我是被老师关里面，本来烦躁至极，后来我想，我不能这么枯坐傻等，我要娱乐自己。于是，我盯着墙壁，盯上一阵，墙上便幻象迭出，有如电影放映。天擦黑时老师开门，放我出去，见我安详，没有任何不适，心里肯定大是古怪。那天学校搞合唱比赛，全班四十五人，挑出二十二对童男女，就涮下我一个守教室。本来我很痛苦，心里想，我嗓音确实含糊，但你让我滥竽充数又有何妨？我一人就能干扰那二十二对童男女的声音？那一天，我强烈意识到，口口声声教我做人的老师，已经宣布我是一块废物。但我并不奇怪，因为自小就感觉到，自己是块废物。当我有意识，就知道父亲对我很失望。我本是早产，生的时候又碰上难产，人工呼吸救活过来，手脚畸形，哭声没有老鼠叫得响。我记得小时候，父亲命我走一条直线，用两年时间才不踉跄，学拿筷子用了三年。

父亲失望的眼神，伴随我整个童年记忆，每天至少挨训五六次，动辄得咎。那时候，我就生怕引起任何人注意，只想躲起来，在没人看见的地方，小心活着。

事实上，我又不是那么安分的人，心里是想活得安静，但经常折腾起事端。我控制不了自己，安静与躁动，懦弱与狂妄，在遗传基因里都有很高含量。

我的不安分，体现在我爱撒谎，天生的，不说则已，一开口就能撒谎。我不怎么说话，一是口齿的问题，二是我很早知道自己有这天性，心里害怕。但很奇怪，在家长、老师和同学的眼里，我一直是个老实孩子，甚至还说我“从不撒谎”。我觉得从不撒谎的，只有白痴，那些励志故事里过分诚实的孩子，常常让我怀疑是天生的演员，他们共同具有大智若愚的品质。于是，在我很小的时候就得来一个重要认识：我并不是不撒谎，而是会撒谎；而身边很多人，并不是爱撒谎，而是不会撒谎。

我读小学时，正流行集邮，十个人至少三四个爱好者，除此也没有太多玩意。两三年时间，我成为学校集邮最出名的人，因为我卖邮票。我读小学四年级，学会邮购，把钱汇到上海，买来一堆邮票，加价卖给同学。这是靠信息不对等赚取同学的零花钱，为守住商业秘密，我必须给同学编故事，云山雾罩，就是不能透露真相。事实上，我发现编故事有助于赚取更多的钱，某套邮票，编一个传承有序、得来不易的故事，出手一定快，价钱一定高。这明明是骗人，后来社会变得不一样，这叫“文化附加值”。卖给我邮票的那位上海人，知道我是学生，每年元旦寄一张明信片，劝我好好学习，但价目表两月一期，从不耽误。记忆中，一套六枚的边区毛像邮票，在上海是大路货，在小县城几乎没人见过。我四块钱买来，舍不得孩子套不到狼，故事编得曲折，让我外公躺着中枪，因此要卖两百多。一个同学咬了牙，撬开家里柜头上的锁，国库券和公债一共凑了两百二，一定要买这套邮票。我平时赚赚小钱，这时面对一笔“巨款”，意识到，可能已是犯罪，不敢卖他，他却纠缠不休。后来他家长发现柜门被撬，顺藤摸瓜查出我卖邮票，报告给老师。学校没有处分，父亲将我所有邮票锁起来，那以后才收敛了心思。

我口齿天生有问题，才对讲故事如此感兴趣。在城里不敢开口，放假去到乡下爷爷家里，有了机会。那时农村几乎没有电视，广播经常断播，冬天很多人挤到爷爷家火塘边，听讲故事。爷爷读过私塾，认字，会讲故事。一到冬天，他家火塘的来客最多，这也是他洋洋得意的地方。几十年，他只看《水浒传》，书翻烂了几套，不断地讲。换成《隋唐演义》或者《杨家将》，也能讲，但别的人不认可，说要听武松打虎，要听拳打镇关西。故事大都知道，大家围坐一起，是在搞点播，耳熟能详的故事，还要再听，不是听故事，要听前后讲的有没有出入。这样，我们小孩有了上场机会，大人喜欢考察，哪个小孩记忆力好，一出故事讲得如同翻版，重要细节一处没漏下。于是，口齿声音都不重要，重要是记忆力好，复述能力强，于是我一次次得到夸奖。我在乎这样的夸奖，比考试出成绩更重要，我非常享受有人认真听我含混的发音。有这样的经历，我也一直认为《水浒传》是最好的小说，反复地看，经典段落几乎都能背下。四大名著我只看过这一部，被朋友笑话，说你竟然不读《红楼梦》。我自己觉得不丢人，找个理由，你们读过，我和老曹没读过。他们问老曹是谁。我告诉他们一个常识：曹雪芹也是在没读《红楼梦》的情况下，写出《红楼梦》来。

那几年空余时间，除了卖邮票，我只会坐在家里看书，这是我的命。我读的小学那个班，是教改实验班，搞作文强化训练，取个名叫“童话引路”，作文课上，老师都引导我们写童话，当年闹出一些影响，四年级有一学期全是上公开课，电视台来录新闻和专题，晚上才好打光，所以那半年我们昼伏夜出，晚上去上课。全班四十五人，有三十多人在公开刊物上发表作文童话。

有的作文杂志给我们班同学开专辑，一发一溜。那是上世纪八十年代，文学热至烫手，想当作家的人路上随便抓，一抓一把。但当时我写作文并不冒头，记得班上作文最好的是两位女生，姓熊，姓黄。班内搞起小作家协会，正副会长好几人，我混上副秘书长。在老师看来，我好歹也算二梯队人选。我以为她们必将成为作家，而我也希望向她们靠近。后有“神笔马良”之父洪汛涛莅临我班指导工作，摸出一支钢笔，说是神笔。班主任指派，由姓熊女生接收。彼时，在我看来，不啻是一场仪式，宣告她已光荣地成为一名作家。那一刻，我的心里，酸甜苦辣咸，羡慕嫉妒恨。

还在读小学时，我就以为所读班级是有专业方向，老师一心要扶植、培养一帮作家。我以为，即使毕业，也有一帮同学内心已揣定当作家的志向，表面上不管如何的不露痕迹，其实这志向已如信仰一般牢固。我们正向着作家这一身份发动集团冲锋，若干年后，再保守地估计，那几位种子选手，总是拦不住。我想象着，若干年后，我们一同以写作吃饭。我以为将来必是这样，从不曾怀疑。想当一名作家，这愿望于我而言来得太早，十岁就有，十多岁已变得坚固。这是很可怕的事，想得多了，纵然只发表三两篇童话作文，我便在一种幻觉中认定自己已是作家。这种幻觉，使我此后遭遇任何状况都不以为然，读书只读闲书，成绩飞流直下也无所谓。慢慢读到高中，我已成了差生，而以前以为会同我一样去当作家的小学同学，大都考了中专，等着就业。一开始，我想不通他们为何抛开好好的作家不当，想去从事那些古怪职业，比如老师、医生和领导。慢慢地，到了高二，我意识到，可能是自己脑子有问题，别人看得明白事，就我一个人犯糊涂。我写的散文和诗歌，投到学校校刊，油印的小册，也屡投不中。这时候我如梦初醒，心里想，我大概当不了作家。有了这样的发现，我心情一度灰暗，直到有一天看了《庄子全译》，翻开第一篇，逍遥游，有如遇到知音。惠子和庄子对话那一段，用樗树做的比喻，每一句都讲到我心坎。大本拥肿而不中绳墨，小枝卷曲而不中规矩，我宁愿把这些和自己对应起来，先天有这么多不足，但不想当自己是废物，那就不如以一株樗树自比。我和身边的一切总有千丝万缕的隔膜，可能是因为我没被安置到合理的地方，就像樗树不能混入松树或者桦树林。樗树就应该生长在无何有之乡，广漠之野，孤孤单单的一株，无所依傍。我用很多书换回同学手中的《庄子全译》，贵州人民出版社的版本，不断地看，后面还换了别的注本。这本古怪的书，引发我头脑中无数奇异的想象，这让我重新找到怡然自得的心情，让我恢复了必是一个作家的幻觉。

真正写小说以后，别人觉得我吃尽苦头，我自认为走得蛮顺利。最初那几年，是我心情最好的日子，精力旺盛，干自己想干的事，脑袋里时不时冒出的一句话，能让自己开心好一阵。我那时写小说，完全抵得上朋友们打电游，他们打出一个个装备，我写出一个个意想不到的细节和句子。小说很少发表，我就存在电脑里。我已看了足够多的小说，相信自己写出的这批东西，质量不差，假以时日，发表出来不是问题。2005年短篇小说《衣钵》发表在《收获》杂志，是我写作生涯一个转折点，那以后，一如之前的预想，积压在电脑硬盘里的小说，马上被人要走，发表的瓶颈转眼突破。2007年，获了鲁迅文学奖，县里面给我解决了工作。我这时知道，我可以一辈子写下去。我并不担心自己能写多久，因为我口齿不清的毛病无法纠正，我的表达欲望就可以一直高涨。我是天生爱撒谎的孩子，但小说的虚构，某种程度上缓解了我撒谎的冲动，我把撒谎融入虚构，狠狠发泄以后，在现实生活中继续沉默寡言。

我也总结自己写作顺遂的原因，可能就是因为我的写作理念简单，易于执行。对我写作理念影响较大的，是赛珍珠获诺贝尔奖时的演讲。这是一位近乎被遗忘的作家，可能也是唯一靠通俗小说获取诺奖的作家。在这个演讲里面，她认为中国的小说传统就是通俗路数，离下里巴人近，离知识分子远。她认为，在中国，文人不认为小说是文学，这是中国小说的幸运，也是小说家的幸运。这一点我笃信不已。她也从《水浒传》里得到很多养分，并将这部小说译为《四海之内皆兄弟》。我喜欢乡村，喜欢那些张着耳朵听故事的人，喜欢身边最真实最朴素的生活，肆意地去看，去接近，不是故意，确实从中得到无穷乐趣。在十余年的写作中，我怀疑汉语成型于农耕社会，千百年来重农抑商的实情，文人所葆有的歌颂乡土田园贬斥朱门富户的传统，使得汉语词汇天然地对城市和富裕带有贬义色彩。基于这一点，我进一步怀疑以汉语描写城市和富裕阶层，本就有欠缺，一旦触碰乡村和底层，马上变得天宽地阔，左右逢源。当然，隔了数十年，赛珍珠的见解也遭受时代变迁的影响，中国小说在全球一体化的冲击下，必须是文学，或者必须沾染上文学，必须以文学装饰自身，否则也行之不远。我写小说的理念，由此折中而出，简单地说，既要写得好看，又要让人看完觉得高级，通俗或是高雅且存而不论，面目模糊是最好。我乐意用极简思维去处理复杂的事，因其简单，才容易在我笔下发育成稳定的品质。

我小学毕业留言册上，大多数同学祝我“邮票生意越做越好”，有个女同学祝我成为作家。多年后聚会，她提到这事，我说你是否给很多同学都这么写？因为在当时，我们班眼看会成为作家的，大有人在。她否认，说就给你一个人这么写。我没有问为什么。我相信她已经看出来，只有我是那种一条胡同走到黑的人。她预言了很久以后的事，在很久以后的现在，每当我遇见她，就要请她预测一下，我最近文运如何。